「おりる」思想

無駄にしんどい世の中だから

飯田 朔

Iida Saku

a pilot of wisdom

目次

第3章 ちゃんと「おりる」思想――99

目次・扉デザイン／MOTHER
イラスト／田渕正敏

はじめに

「なんでもない」人の視点から映画や小説、社会について考えてみたい。
これがこの本の出発点だ。

街中でしばらく会っていなかった知り合いとばったり出くわす。もしくは、家族の集まりで親戚と顔を合わせる。そんなときに相手から「最近どうしてるの？」と聞かれると、ぼくはつい「いやあ、何もしてないよ」などと答えてしまう。

すると相手は、「え」と困った顔で「何もしてない？」と言ったり、苦笑いを浮かべたりする。ぼくも、相手はただ近況を聞いているだけであり、その質問に対しては、仕事のことでも、家族のことでも適当に返事をすればいいということは分かっている。相手を困らせたくて「何もしてない」などと言っているわけじゃない。そもそもぼくにしても、実際は日々「何もしてない」なんてことはない。

例えば、最近「した」ことと言えば、

- （実家の）飼い猫にエサをやる。
- 週1の当番で家族の夕ご飯を作る。
- 中国語の勉強を始めた。
- 昨年から近所の市民農園に通い、野菜を育てるようになった。一緒に畑を耕す、年長のおじさん、おばさんとの会話になごむ。

ざっとこんなところだろうか。挙げればまだ他にもいろいろある。

そう、ぼくは実際にはいろいろなことを「している」のである。

しかし、ではなぜ久しぶりに会った相手に「何もしてない」などと言ってしまうのか。

というのもそれは、ぼくが普段「している」ことが、久々の近況報告の会話で持ち出すには、どこかそぐわないと感じられるものが多いからだ。

「何してるの？」という質問は、おそらく仕事や景気、もしくは家族のことなど、誰とも共有しやすい話題の範囲で、最近とくに自分が取り組んでいる、力を入れていることは何か、と聞くフレーズなのだと思う。例えばこの質問への返答として、「いやあ、休日も仕事が多くて大変」とか「子どもが入学式で」とか、「大相撲ばっかり見てる」とか言うのであれば、滞りなく会話が続くだろう。仕事、子ども、大相撲なら誰でも知っている話題だし、その中で何に重点が置かれているかが分かるからだ。けれども、ここでぼくが「畑に行き始めた」とか「猫のエサが」などと言い出したら、(もちろん親しい友人なら話が通じるかもしれないが)久しぶりに会った親戚などは「畑? 猫?」、なんでそんな話題振るの? という反応を返すだろう。

ぼくは、10年ほど前に大学を卒業してから就職をせず、30代のいまに至るまで実家で暮らしている。塾講師をしたり、ウェブなどでちょこちょこ文章を書いたりしてきたが、フルタイムで働いたことはなく、結婚もしていない。

こういう生活を送っていると、久しぶりに会った相手に「これをしている」と一言で言うことのできる「何か」がなかなか出てこないのである。

先に挙げたように「何もしてないよ」と答えるぼくだって、実際は「何か」を「している」のだけれど、その「何か」はどれも世間で交わされる「何してるの?」という質問への答えとしてはしっくりこない、どこか中途半端な「何か」ばっかりなのである。

けれども、この10年ほどを過ごすうちに思ったのは、こうした「何してるの？」という質問への答えとしてはふさわしくない、中途半端な「何か」は、人が生きていく上で案外大事なものなんじゃないか、ということだった。他人に報告するほどでもないが、おそらくほとんどの人たちが無意識に経験している、日々の小さな行為や出来事。それらが人の生活を形作っている側面もあるんじゃないか、と。

市民農園の畑の野菜についていたイモムシ、すぐにエサをくれと要求する飼い猫たちの鳴き声、いまひとつうまくできなかった夕食の献立、一日の終わりにベッドへ入り、まぶたの裏に浮かぶのは、大体こうしたその日にあった、どうでもいい「何か」の数々だ。

世間の尺度から見たら「何もしてない」とイコールとみなされてしまう、中途半端な「何か」。そういう無数の「何か」を積み重ね、日々を生きる「なんでもない」人としての自分。普段の生活の中で自分が持っているペースやリズム、嗜好《しこう》、そういったものを出発点にして、世の中を見つめ直してみると、何が見えてくるのか。

こんな問いが頭の中で浮かぶようになっていた。

「生き残れ」と「何者か」

大学を卒業してから10年間、東京で暮らしてきて、ぼくは年々ある種の息苦しさを覚えるようになった。

ネットでもテレビでもニュースを見ていれば、いまの日本には山ほど問題があることが分かる。政治、経済、少子化、過疎化、原発、差別……。けれども、ぼくが感じる息苦しさとは、そうした大きな話題と関連しながらも、それよりはもっと日常的な部分でさりげなく個人に近づいてくる、ここで生活していると知らず知らずに顔を突き合わす、微妙な問題からやってきている。

いまこの息苦しさの裏にあるものは何かと考えてみる。

ひとつは、この社会で無意識的に発せられている「生き残れ」という言葉だ。ぼくは、この30年間日本で格差社会と呼ばれる状況が広がってくる中で、次第に「他人に勝って生き残れ」という呼びかけが広がり、いまかつてない勢いで浸透してきていると感じる。

ビジネスに関連する文脈で「これからの時代は○○をしないと生き残れませんよ」などといったフレーズを耳にすることがあるだろう。文脈にもよるが、ぼくは多くの場合、この言葉とそこに含まれる考え方に強い違和感を持ってきた。「生き残れ」という一語には、いまの社会で人を競争に駆り立て、競争そのものを助長する考え方が潜んでいる。

この言葉がスポーツの試合のような公平な競争の場で使われるなら、それほど問題ではないかもしれない。けれどもいまは、社会の中で有利な立場にいる人であろうと、不利な立場にいる人であろうと、まるで誰にでもあてはまるかのように、「競争の中で何かの能力を身につけ、他人に勝って生き残れ」ということが言われている。ビジネスの場だけでなく、教育や学問の場などでも使われているのを目にしてきた。

「生き残れ」という言葉とそこに含まれる考え方に問題があるのは、フェアであることが保障されていない状況でこの考え方を適用すると、不利な立場にいる人たち、社会的弱者が競争で負けたとき、その「負け」は「自己責任」とされ、一方で競争を生み出す社会や国という「しくみ」の問題は検討されなくなってしまうからだ。さらに、より深刻な問題は、不利な立場にいる人が自分の中に「生き残れ」という主張を保持することで、自ら競争の最中に入っていき、結果的にそのしくみを補強してしまう、悪循環を引き起こす点にある。いまの世の中はたしかに厳しい。生きるために人は何らかの策を練らなければならない。けれど、「生き残れ」という風潮は、一見その解答であるかのように見えて、実際は人をおかしな方向に誘導していく可能性を秘めているんじゃないか。

さてふたつめには、これも競争を助長する考え方とどこかで関連しているとは思うのだが、若者を中心に一種の「何者か」信仰というような態度が生まれてきていると思う。これは、この社会で成功したり、強い権威や地位を持つようになったりした人たちを過剰に評価し、一方でそういった人たちに向け批判を加えたり、疑問を提起したりすることを避ける姿勢のことだ。

アーティストやスポーツ選手、有名人など「何者か」への憧れは、多かれ少なかれ以前からあったものだと思う。しかし最近は、それが競争の中で勝ち残った人、成功した人にも向けられ、競争の敗者、弱者までもが、そうした成功者たちには逆らうべきではない、という認識を持つようになってきている。

同年代と話すと、この社会っておかしいよね、というところまでは話が通じても、そこから先になると「でも総理は頑張ってるよね」とか「有名なインフルエンサーの助言に従ってスキルを身につけよう」、みたいな話に収束してしまう。また、若いときから自分が何者であるかを何らかの肩書きによって示そうとする態度も広がっている。

こういった姿勢には、「生き残れ」が持つ問題と同じく、人が競争の勝者である「何者か」を一種のロールモデルとして内面化し、そうなれない場合自分を否定したり、またそうなれない他者を劣った人物と捉えたりし、結果として社会の中で権威や地位に従う風潮を強めるのではないか、という問題があると感じる。

朝日新聞の記者である玉川《たまかわ》透の編著『強権に「いいね!」を押す若者たち』(ヤシャ・モンク、ロベルト・ステファン・フォア著、濵田江里子訳、青灯社、2020年)では、大学生をはじめとする日本の若者の中に、総理大臣を批判するのはよくないと考える姿勢が生まれてきていることが指摘されている。この本は、朝日新聞『GLOBE』での連載をもとに、玉川が若者やさまざまな分野の研究者を取材し書いた文章と、アメリカの政治学者による寄稿からなっており、世界中で進行している民主制への疑念の高まりを考察している。日本の若者にそのような姿勢が出てきていることの理由として、玉川は取材した研究者の推測も踏まえつつ、学生たちには「民主主義」がいわば「多数で決めたことには従う」という内容として理解されている上、そういったシステム自体が神格化され、その中で選ばれたということが「カリスマ」のよりどころになっている、と書いている。

また、社会学者の伊藤昌亮《まさあき》による「ひろゆき論」(『世界』2023年3月号、岩波書店)では、なぜ社会的に弱い立場にいる人々が、沖縄の市民運動を揶揄《やゆ》する言動で物議をかもし、また新自由主義という「弱肉強食」の論理を持つインフルエンサー・ひろゆき（西村博之）の主張を支持してしまうのかを、ひろゆきの著作を読み解き分析している。伊藤によれば、ひろゆきの主張は一種の「プログラミング思考」の提案であり、ひきこもりやコミュ障といったひろゆきが想定する弱者「ダメな人」たちに向けられている。その内容は日本社会が終わっていても、個人は自己改造すれば生き残れる、と呼びかける内容だという。伊藤は、ひろゆきの考えは、「ダメな人」たちにとって「社会への憤懣」と「自己への承認」を同時に満たしてくれる主張であり、「弱肉強食の論理」である新自由主義を弱者に向けて「優しく」転倒させたものであると読み解き、その危うさについて警鐘を鳴らす。

ぼくが東京で暮らし、見聞きしてきたのも、玉川や伊藤が言及している状況とおおよそ重なるものだったと感じる。同年代の「生き残れ」と「何者か」というふたつの考え方に接する中で感じたのは、そういった考えは、人に「スキルを身につけろ」と迫ったり、中身のないロールモデルを押しつけたりしてくる点で、いわば個人に対して「あとづけ」の技能や目標を強要する考え方であり、根本的なところでは人が元々持っている、その人なりの存在意義や権利といったものをないがしろにする考え方なんじゃないかということだった。

そしてぼくは、その人の中に元々ある部分、個人が生きる上でつねに自分の出発点とする要素の方が重要だと考えるようになった。それが普段の自分の生活感覚や嗜好といった、「なんでもない人」としての自分というアイデアである。

スペイン滞在から見えたこと

こういうことをはっきりと考えるようになったきっかけのひとつに、2018年から2019年の1年間、ヨーロッパのスペインで生活するという経験があった。

スペインへ行ったのは、元々スペインの料理や映画が好きで、国そのものに興味があったからということはあるが、最大の理由は、いまの日本の状況に嫌気が差し、逃げ出したいという気持ちが高まっていたからだった。現地で何かがしたいというよりは、日本と一定期間距離を置く、という以上の目的はなかった。

「留学」中にあえてこれをやろうと思っていたことは、とくに何もなかった。滞在した地方都市では勉強も友人作りも、アルバイトも、移住の模索も、どれもやりたければやるし、気が進まなければやらない、というペースで過ごした。語学学校自体は楽しく通っていたが、住んでいた学生アパートで一日中YouTubeを見るもよし、好きな料理に明け暮れるもよし、という考え方だった。いわば「何もしない」留学をしたのである。

実際に足を運んでみると、スペインという国にもいろいろな問題があるようだった。2008年のリーマンショックから続く深刻な経済不況、若者の海外流出、過疎化、性差別や極右勢力の台頭、気候変動や難民への対応など。ぼく個人からしても非常に「穴」が見えやすい社会で、こんなに「デコボコ」した場所だったのか、と思った。けれど、出会った現地の幾人かの人たちからは、そんな問題山積みの自国の状況に呆《あき》れ、辟易《へきえき》しながらも、問題は問題なのだから、どういう形にしろ解決しなければならない、と社会の状況をしっかり見定めようとする視線も感じられた。

バル（居酒屋）に入れば、店員と客のやり取りは、日本の飲食業界に比べればはるかに対等に近いものであったし、デモやストライキは日常茶飯事で、人々は休日はしっかりと休む。ヨーロッパの「進んだ」文明の一国としてではなく、「穴」もそれなりにある、世界のはしっこの一国としてのスペインという場所から、もう片側のはしっこにある日本という生まれ故郷を振り返る経験はいろいろなことを考えさせてくれた。

そのスペイン滞在の末に思ったのは、自分の中にはスペインにいても、日本にいても、まったく変わらない、自分なりの生活のペースや好みがあるということだった。

ぼくは普段昔ながらの定食屋やラーメン屋へ行くのが好きなのだが、スペインにいるときは、アパートの近くでスペイン人のおばさんがひとりで切り盛りするハンバーガー店によく行った。スペインではじつは個人のハンバーガー店が多く、内陸地方の乾いたバンズに、赤身の肉を中心にしたシンプルなパテと新鮮な野菜がはさまれたハンバーガーをほおばりながら、おばさんと世間話をする。そのときふと、こんなことが前にもあったな、と思ったのだが、そこで思い出したのは、東京の地元でよく行っていた中華定食屋のことだった。その中華定食屋でもぼくは、初老のご主人とよく世間話をしていた。まったく違う国にきているのに、同じようなタイプの店を見つけ出し、同じように店主と話をしている。大陸の反対側までやってきて、日々やっていることは何も変わらないのである。考えてみれば、現地で付き合った数少ないスペイン人や中国人、韓国人の友人らも、日本の友人たちと似たようなタイプの人たちだった。

そういった自覚を通して思ったのは、自分の中にはどんなことがあっても、そう簡単には変わらない部分があるということだった。自分が何かを習得するとか、何らかの成果を出すとか、何かの地位につくとか、そういった後から自分に張りついてくる「何者か」としての自分とは違う、元から自分の中にしみついている、「なんでもない」自分。スペインから帰国し、あらためて、自分が嫌になったいまの日本のさまざまな側面について、この「なんでもない」というところから向き合ってみたいと思うようになったのである。

「おりる」思想

「なんでもない」人の視点からいまの社会を見つめ直したとき、何が見えてくるのか。この本の内容を先取りして言うと、そこには「おりる」という新しい考え方、生き方が見えてくるのである。

「おりる」とは、社会が提示してくるレールや人生のモデルから身をおろし、自分なりのペースや嗜好を大事にして生きる、という考え方だ。

なんだ、個性尊重みたいな単純な話か、と思うかもしれないが、そう簡単なものではない。この社会で「普通」に生きようとすると個人にふりかかってくる、さまざまな重圧や誘導とうまく距離を取り、時にはそれらを強くはねのけ、どう自分なりに無理なく生きていくか、微妙なバランス感覚が必要になってくる。

ぼくは大学の終わり頃、評論家の加藤典洋《のりひろ》さんのゼミ、勉強会に参加するようになり、映画や小説について書くことを通して社会についても考える、という方法があることを知った。加藤さんとゼミ生、聴講生の方たちと共に、本を読み、文章を書くということを数年間経験したのである。また、そうして文章を書き始めながら、もう一方では、いまの日本の「生き残り」や「何者か」といった発想以外で生きる道はないのか、と疑問を持ち、日本各地で面白いこと、変わったことをやろうとしている人たちの情報を集め、時にそのうちの何人か、本書でも書いた伊藤洋志《ひろし》さんや勝山実《みのる》さんに会いに行ったりもした。

そうして映画を見たり、本を読んだり、人と出会ったりする中で思ったのは、いま世の中の端々に、日本で支配的な考え方とは別の仕方で、したたかに、それでいて力強く生き抜いている人たちがいる、ということだった。

この本では、そんなぼくがこの10年ほどの間に見聞きしてきた映画や本、小説を通して考えた、「なんでもない」人という視点の先にある、「おりる」思想について考えていきたい。

ここで、この本の構成についてふれておこう。

全体は2部構成になっており、第1部では第1章から第3章までそれぞれ別々の映画や本を取り上げ、「おりる」思想とそれに関連するテーマについて考察していく。

第1章は、近年続けて制作されたふたつのクマのキャラクターが登場する映画『パディントン』（これまで2014年と2017年にシリーズ2作が作られた）と『プーと大人になった僕』（2018年）を取り上げた。それらの作品から見えてくるクマのキャラクターの新しい主体性と「成長」「何者か」といったものへの問題提起が描かれていることに注目している。

第2章は、日本の映画監督・深作欣二《ふかさくきんじ》が2000年に制作した『バトル・ロワイアル』を取り上げ、若者同士の殺し合いを描いた同作を20年経《た》ったいまの視点から振り返った。深作を「生き残り」というテーマを描いてきた監督として捉え直し、『仁義なき戦い』をはじめとした往年の作品も参照しながら、その内容がいま頻繁に描かれる『バトル・ロワイアル』風の映画や漫画などとどう違うのかを考えている。

第3章は、2010年代に発表された日本のいく人かの書き手の本や漫画を取り上げ、いまの日本の水面下であらわれてきている「おりる」思想について考察した。その中で、これが従来の「生き残る」という発想とどこが違うのかも明らかにしている。

続く第2部は、戦後最年少で直木賞を受賞し、『桐島、部活やめるってよ』（集英社、2010年）や『何者』（新潮社、2012年）で知られる小説家・朝井リョウの作品を網羅する形で取り上げ、その作品群の中で描かれる「おりられなさ」という要素に着目した。朝井作品では第1部でふれた「おりる」思想に重なる描写が見られる一方で、登場人物たちが独特な「おりられなさ」に直面する姿が描かれている。ぼくの見立てでは、そうした登場人物たちは最終的には自分の中にある「好き」という感覚を経由して「おりる」ところまでたどり着くのだが、この第2部では朝井作品の「おりられなさ」について考察することで、「おりる」ということの一歩手前で考えなければならない問題があることを見ていきたい。

生活から始める批評

この本は、形としていえば、映画や小説、本を読み解きながら社会についても考える、というものなのだけれど、その内容はいわゆる「批評」や「評論」と呼ばれる文章とはズレている部分があるかもしれない。

ぼくは今回、「なんでもない」こと、自分の普段の生活感覚やリズムといったものをテコにして映画や小説と向き合ってみたいと思った。それは、本を何百冊も読んで参考にしたり、事実を詳細に調べ上げて何かを証明したりするといった内容ではなく、他人が言っていることで大事な部分はおさえつつも、まずは自分の身ひとつで行けるところまで行ってみる、考えられるところまで考えてみる、ということだ。自分の生活と目の前の作品、社会という3点を行きつ戻りつして書くことを目指す。

これまで批評と呼ばれる類いの文章を読み、自分でも試し書きしたりしながらも、その実ぼくは世に出回る「批評」を目にすると、しばしば何かお腹《なか》のあたりが重くなり、目が疲れてくる感じを受けることがあった。批評を書くためにさまざまな本や論を参照したり引用したりする必要があることは分かるが、時にそれ自体が目的となってしまい、対象とする作品や日常の生活感といったものから離れてしまうことがあるからだ。ぼくはそのような仕方以外にも、作品について、社会について深く考える方法があるはずだと思っている。むしろ、そうした書き方では顔を見せない、その作品の深みというものも存在するんじゃないか。これを念頭に置いておきたい。

こういう実感は、ぼくの中に元々ある好みというか、性格かとも思うけれど、自分にとって例外的に読んでいて「胃もたれ」しない批評を書いていたと感じたのが、先にふれた加藤典洋さんだった。ぼくのものの見方は、加藤さんが次のように批評について考えていたことにもいくらか影響されている。

加藤さんは、自分が批評家として出発した経緯を語る中で、デビューして間もない頃、迷いを経験しながらも批評をどう考えるに至ったか、その内容を次のように書いた。

（…）批評というものが、学問とはとことん違い、本を百冊読んでいる人間と本を一冊も読んでいない人間とが、ある問題を前にして、自分の思考の力というものだけを頼りに五分五分の勝負をできる、そういうものなら、これはなかなか面白い。そう思ってお前は、この批評という世界に関心を抱いて、これに手を染めてみようと思ったのではないのか。（…）

（『僕が批評家になったわけ』文庫版、14～15頁）

加藤さんは、村上春樹論をはじめとした多くの文芸評論を書く一方で、戦争責任や憲法など日本の戦後をめぐる文章を書き継いだことから、大文字の「批評家」もしくは、いかめしい書き手というイメージを持つ人もいるかもしれない。だが、ぼくが高校生の頃に初めて加藤さんの文章を読み感じたのは、まったく畑の違う専門家や他の批評家といった人たちに対して、自分なりに考えを積み上げ、必要以上なまでに相手の文章を読み込み、身体《からだ》ひとつでぶつかっていく、果敢な力士というイメージが浮かぶ書き手であるということだった。だからぼくも自分の頭で考えられるところまでは、自分で考えてやっていきたい。

ともかく、これから「なんでもなさ」を出発点に、その先に「おりる」思想が見えるところまで山道を登っていく。その過程の登り方も「生活」をテコにする、という原始的なやり方でいってみようと思うのである。

もちろん、自分の生活や実感ばかりつらつらと書き続ければ文章は読みづらくなると思うので、その点は気をつけておきたい。が、しつこい書き方であることを承知の上で、この本を読む方には、ぜひ一緒に山道を歩き、見える風景を土産《みやげ》にするようなつもりでしばし付き合ってもらえたらと思う。

第1部　「おりる」というアイデア

第1章 「成長物語」を終わらせにきた、クマたち

——映画『プーと大人になった僕』と『パディントン』

「なんでもない」人の視点から映画や小説、社会について考える、気張らない文化批評のような文章を書いてみたい。

2018年から翌年にかけて、ぼくは1年間スペインで生活したことを連載「はしっこ世界論」として書いてきた。2019年の1月に日本に帰国し、それからは東京の実家で暮らしている。

スペインへ行く前は半ひきこもり的な生活を送っていて、帰国してからほぼ1年が経ち、また同じような生活に戻りつつある。日々のほとんどの時間は家にいる。本を読んだり、動画配信サイトで映画を見たり、YouTubeを見たりと、家にいるなりに自分の中に吸収するものはあるし、ひとり考えることもある。そんな中、学者や何かの専門家といった

「何者か」の立場から書かれた文章ではなく、「なんでもない」人の視点から書かれたものをもっと読みたいと思うことが多くなった。

が、しかしいまはそういう文章があまり見られない気がする。というか、ネット上でさえ、肩書きを大事にする傾向がある。だから、ここでひとつ「なんでもなさ」を出発点にしつつ、文化について考える文章を自分で書いてみたいと思った。

1　スペインの映画館でクマのプーの映画を見る

2018年の秋、スペインの地方都市サラマンカの映画館で『プーと大人になった僕』（2018年）を見て以来、この映画のことがずっと気になっていた。

ぼくはここ数年の日本の雰囲気が嫌になり、30歳手前でスペインへ行き、サラマンカという街で1年間スペイン語を勉強しながら暮らした。

サラマンカは人口14万人程度の小さな街だが、シネコンがふたつとミニシアターがひとつある。映画料金が8ユーロのところ、水曜日は映画サービスデーで4ユーロの割引価格で見られ、『プーと大人になった僕』（以下『大人になった僕』）を見たのも水曜だったのを覚えている。

『大人になった僕』は、言わずと知れた小説『クマのプーさん』を原作としたディズニーの実写映画だ。小さな頃プーと遊んで育った少年ロビンが大人になり、プーのことを忘れ、毎日会社で働きすぎているところに、久しぶりにプーがあらわれる。ロビンがプーとの再会をきっかけに働きすぎの生き方を見直す物語だ。

プーを助けてやれよ!

サラマンカでこの映画を見たときにちょっと面白いことがあった。

映画館で席につくと、後ろの列に何人か子どもを連れたスペイン人家族が座ってきた。映画の始まりでは、プー（声：ジム・カミングス）と再会した大人のロビン（ユアン・マクレガー）が、いなくなった森の仲間たちを一緒に捜してほしいというプーの頼みを聞かず、冷たくあしらう。ロビンは仕事のことで頭がいっぱいなのだ。

と、そこまで映画が進んだとき、ぼくの後ろの席の小さな男の子が、「Ayúdale!（プーを助けてやれよ！）」と画面のロビンに向かって何度か呼びかけるのが聞こえたのだ。ぼくはおかしくて、笑いそうになった。

画面のユアン・マクレガー演じる大人のロビンが、観客の男の子に叱られているのは、何かこの映画を象徴している気がする。

この映画は、子ども向けのキャラクター映画なのに、なぜか残業や休日出勤、有給休暇など労働問題のテーマが盛り込まれているのが面白い。

ぼくは高校生のときから、日本ではうまく働けないという実感があり、スペインへ行くまでは実家に住みながら時々塾講師をしたりして、日々だましだまし東京で暮らしてきた。日本を脱出してスペインへ行った理由のひとつとしては、いまの日本の職場が一般的にあまりにも働く時間が長く、労働時間の割に給料が安いと思えたことがある。また、一方のスペインにはいまだにシエスタ（昼休憩）の習慣があるなどと聞き、現地の人々の暮らしぶりに興味を持ったことも理由のひとつだった。

そんなスペインで鑑賞した『大人になった僕』は、まるでいまの日本人に向けて作られた映画のような気さえした。

それから数か月が経ち、留学生活は終わり、２０１９年の１月にぼくは日本に帰国し、東京の実家に戻った。

戻ってから間もないときに、今度は、Ｘ（旧 Twitter）で評判を聞き気になっていたもうひとつの映画、これまたクマのキャラクターが出てくる実写映画『パディントン』(2014年)を見た。実家の家族や友人などの間でなぜか前年公開されていた『パディントン2』(2017年)が大好評で、ぼくもAmazon Prime Videoを使い、実家のテレビで『パディントン』と『パディントン2』を見てみた。

これまた、たしかに面白い……。『パディントン』(以下、ことわりのない場合1作目と2作目を合わせて『パディントン』と表記する)は、ペルーからロンドンへ「移民」として渡ってくる若いクマの物語で、現実のEUの難民危機や差別の問題が反映されたテーマが扱われ、こちらもなぜかキャラクターものに社会派的な要素が入っている。前年スペインで現地の習慣がよく分からず、右往左往したときの自分を思い出したりした。

『大人になった僕』と『パディントン』は別々の映画だけれど、何かあるぞ、と思えた。どちらも「クマ」と「社会問題」という組み合わせが意表をついていて面白いし、キャラクター映画としても、クマたちが妙に「いきいき」していることに新しさを感じた。

日本で働けず、スペインへ一度逃げ出したぼくにとっては、このふたつの映画は、やけに切実なものがあり、また、いまの日本の社会や世界の問題について考えるにあたって、手がかりをくれる作品とも思えた。

2　ふたつの映画について

『大人になった僕』と『パディントン』は、どちらも、クマのキャラクターが人々の前にあらわれ、いまの世界の問題に向かって果敢に立ち向かう、という不思議な構図が共有されている。人間じゃなく、なぜかキャラクターの目線に比重が置かれ、キャラクターたちの行動が差別や労働問題の乗り越えにつながっていく。

次のことを考えてみたい。

なぜ人ではなく、キャラクターが社会問題と闘う姿が描かれるのか。

2匹のクマが闘っている相手は何なのか。

こういう映画が作られることから、ぼくたちは何を受け取ることができるのか。

ここで、本題に入る前に簡単にプーとパディントンの映画の物語をおさらいしたい。

『大人になった僕』は、作家A・A・ミルンの小説『クマのプーさん』を原作とし、原作の「その後」を描いた物語だ。ぬいぐるみ風のクマのプーと共に少年時代を過ごした主人公クリストファー・ロビンが大人になり、プーと再会する。原題は、"Christopher Robin"

で、働きすぎでかつての自分を見失っていた主人公が、プーたちと再会し、「クリストファー・ロビン」としての自分を取り戻す物語だ。監督は、『ネバーランド』（2004年）や『007 慰めの報酬』（2008年）などで知られるマーク・フォースター。

「何もしない」生き方の意義を説く

ロビンはプーやその仲間たち（虎のティガーや豚のピグレット）と別れて大人へと成長したが、就職先の会社で働きすぎの日々を送っている。ロビンは、理不尽な上司（マーク・ゲイティス）から担当部門の予算を削減する案を出せと言われ、同僚の従業員たちのリストラを考えねばならず、うしろめたさと仕事疲れに悩まされる。そんなところへ久しぶりにプーがロビンを訪ね、彼に「何もしない」生き方の意義を説くのである。

一方、『パディントン』は、作家マイケル・ボンドの小説『パディントン』シリーズをもとにした、ペルーで暮らしていたクマのパディントン（声：ベン・ウィショー）が大地震で家を失い、イギリスのロンドンへ移民として渡ってくる物語。パディントンは、ぬいぐるみではなく動物のクマとして描かれるが、二本足で歩き、人間の言葉を話す。彼は、ロンドンで人間のブラウン一家に拾われ、クマと人間たちの交流が始まる。監督は、この2

本で話題になり、今後が期待されるコメディ出身の新鋭ポール・キング。

『1』では、パディントンがロンドン市民のブラウン一家のもとに居候し、一家との絆《きずな》を深める過程が描かれる。悪役として、パディントンを剝製にし、博物館へ展示しようとする地理学者の女性ミリセント（ニコール・キッドマン）が登場する。『2』では、すっかり家族の一員になったパディントンがある事件をきっかけに濡《ぬ》れ衣《ぎぬ》を着せられ、刑務所に入れられてしまう騒動を描く。ヒュー・グラント演じる、落ち目の俳優ブキャナンがパディントンに罪を着せる悪役として登場する。

3　過剰なまでに「いきいき」しているクマたち

さて、なぜ人ではなく、キャラクターが社会問題と闘う姿が描かれるのだろう。

このことを考えるにあたって、最初にぼくの意識に上ってきたのは、このふたつの映画でプーとパディントンが妙に「いきいき」と描かれていることだ。

「いきいき」とは、プーたちが活動的であって、ただの「かわいい」とか「笑える」だけのキャラクターではなく、主体性を持ったひとつの存在として描かれているように思えた、ということだ。

『大人になった僕』は、一見すると、主人公ロビンの再度の「成長物語」を描いているかのような内容だが、実際には、物語の中で終始プーが主体的に動き回っていて、ロビンの悩みである労働問題をすべてプーが裏で解決しているように見える。

ぼくには、この映画が、大人になったロビンの「成長物語」という当たり障りのない物語の形式を隠れ蓑《みの》にしながら、その実、ロビンではなく、彼のかつての友人だったクマのプーの方に焦点を当てる、やや奇妙なバランス感覚を持つ作品だと思えた。

例えば、序盤でプーとロビンの久しぶりの再会が描かれるとき、主人公のロビンがプーの住む森を訪ね、プーと再会するといった始まり方にはなっておらず、プーの方がわざわざロンドンへやってきてふたりが再会する様子が描かれる。つまり、ロビンの仕事の悩みが解決されるそもそものきっかけは、彼自身でなく、プーの行動によるものなのだ。後半も、プーと仲間たちがもう一度ロンドンへ向かう様子が派手なアクション調で描かれ、それが作中のロビンの労働問題を解決する直接の要因になる。

最終的にプーはロビンの家族（妻と娘）と一緒にバカンスを過ごすことになるのだけれど、一連の物語は、かつて少年ロビンと別れざるを得なかったクマのプーが、もう一度ロビンのそばに居場所を築くまでの冒険を描いた内容にさえ見える。

クマたちの主体性

一方、『パディントン』はどうか。

そもそも『パディントン』では、クマのパディントンが主役であり、物語はペルーからやってきたこの若いクマの視点でずっと描かれる。

パディントンは、ペルーにいながらイギリス風の礼儀作法を身につけたクマで、ロンドンに渡ってから誰にでも礼儀正しく振る舞い、また、必ず何か相手の「いいところ」を見つけて付き合うので、多くの人と友達になる。パディントンと出会った人たちもまた、お互いの「いいところ」に気がつき、人々の関係性がよくなっていく。こうしてクマと人間が築いた関係性が、差別などの社会問題を乗り越えるカギになるのである。

ぼくが気になったのは、こういったクマたちの主体性の描かれ方に、他の多くのキャラクター映画とは何か違う要素があると思えたことだ。

例えば、『マッドマックス』シリーズで知られる映画監督ジョージ・ミラーは『ベイブ』（1995年、ミラーは製作・脚本を担当）やアカデミー賞を受賞した『ハッピー フィート』

（2006年、監督）など、子ども向けのキャラクター映画を作っており、一見『大人になった僕』や『パディントン』はこれらの映画と同じキャラクター描写を行っているように見える。『ベイブ』では牧羊犬に憧れる豚のベイブの活躍が実写と特殊効果で描かれ、『ハッピー フィート』では極寒の地で暮らすペンギンたちの姿がミュージカル調のCGアニメで描かれた。ミラーが携わったこれらふたつの映画も、動物の視点から、動物たちの活躍を描く点が今回のふたつのクマの映画と共通している。けれども、プーとパディントンが「いきいき」しているのは、このようなただキャラクターが作中で活躍することとは違うことを意味する。

クマたちと他のキャラクターたちの違いは何なのだろう。

4　クマはわたしなんだ

何が『大人になった僕』と『パディントン』を他の多くのキャラクター映画と分けるかというと、ひとつには、これらのクマの映画はキャラクター映画ではあるけれど、人間とキャラクターの関係性に焦点を当てた内容になっている点だ。

ふたつの映画では、人間とクマを、「ふたりでひとり」のような一対の関係性から描いている。クマは人にとってある種の「分身」のような存在なのだ。

『大人になった僕』では、プーはただのクマのぬいぐるみではなくて、どこかロビンと存在感が重なるキャラクターとして描かれる。

例えば、映画の序盤で、プーと大人のロビンが再会する場面では、プーが公園のベンチに腰かけているところに、それに気づかずロビンがベンチの反対側に座り、ふたりが合わせ鏡のようになる様子が映される。

ロビンはプーのような架空のキャラクターとは少年時代に縁を切ったつもりでいて、実際には会社での残業やリストラへの違和感があり、その割り切れない感情がベンチの反対側に座る「分身」のプーとしてまさにあらわれている感じがする。また、プーは、「何もしない」ことに価値を見出していた少年時代のロビンの一面を具現化した存在でもある。

移民だが「よそ者」ではない

さて、一方のパディントンもまた、どこか人間たちの「分身」めいたクマである。

先にパディントンをペルーからロンドンへきた移民、と書いたが、パディントンのキャラクターとしての面白さは、移民ではあるけれど、ただ外からやってきた「よそ者」ではない、という点だ。じつはパディントンは、作中ロンドンで出会うイギリス人たちに「かつて移民であったわたし」を思い起こさせる要素を持っている。

次の場面を見てほしい。

パディントンはイギリスへ行く前、ペルーでクマのルーシーおばさん（声：イメルダ・スタウントン）に育てられた。大地震で家を失った後、おばさんはパディントンを港まで連れていき、イギリスへ向かう貨物船に忍び込ませると、最後にこう話す。

ルーシー：（パディントンに）ロンドンで新しい家をお探し。

パディントン：（不安そうに）知り合いもいない。クマは嫌われるかも……。

ルーシー：昔探検家の国（イギリス）で戦争があった時、大勢の子供たちが旅に出されたの。首に札をかけて駅に立ち、よその家族に引き取ってもらったそうよ。あの国はよそ者に優しいはず……。

（映画『パディントン』字幕翻訳：岸田恵子、一部句読点と補足を加えた）

ここで重要なのは、若いクマのパディントンのロンドンへの移民が、かつてイギリスの子どもたちが戦争で別の土地へ行かなければならなかったことと重ねられていることだ。その後、パディントンはかつてのイギリスの子どもたちと同じように、「どうぞこのクマの面倒を」とおばさんが書いた札を首に下げ、ロンドンへたどり着き、札を下げたクマの姿に「何か」を感じ取ったブラウン一家の夫人（サリー・ホーキンス）に拾われる。

パディントンはその後も、元移民でいまはロンドン市民になっている人たちと出会い、友人になる。こうした場面からは、パディントンはただのよそからきた移民なのではなくて、どこかイギリスの人々にかつて自分もまた「よそ者」だったことがあるという、過去の自分について思い出させる、「内なる移民」なのだと言える。

ふたつの映画は物語的には、一見テーマが違う作品に思えるが、どちらも「昔のわたし」を思わせるクマが人々を訪ねてくる映画、と整理することができるんじゃないか。

これらの映画でぼくがクマたちを「いきいき」していると感じたのは、人が忘れ去っていた過去の自分がなぜかいま「クマ」の姿になって戻ってくる、クマたちが再び元気に動き回っている、そんな裏側の構図から何か伝わってくるものがあったからだ。

『大人になった僕』と『パディントン』では、クマたちを人と切り離された「かわいい」

もしくは「笑える」だけのマスコットとしてではなく、観客が、このクマたちはわたしなんだ、と感じられるような存在として描いている。クマたちの側にも半分「わたし」としての主体性が込められているのだ。

なぜ人ではなくクマが社会問題と闘うのかというと、これらの映画では、労働問題にせよ、差別の問題にせよ、いまの世界の問題が、忘れ去られた「昔のわたし」のような視点からでないと乗り越えられない、と捉えられているからじゃないか、とぼくは思う。

5 大塚英志の「移行対象」論

では、その場合のクマがあらわす「昔のわたし」って何なのだろう。また、クマたちが闘う相手は何なのか。

じつは、ぼくは以前から人間とキャラクターの二者関係を描く物語には個人的に惹《ひ》かれるものがあったのだが、それを読み解く上で、非常に説得力のある考え方を提出していると思えたのが、評論家の大塚英志《えいじ》による『人身御供論―通過儀礼としての殺人』（角川文庫、2002年、初刊1994年、以下『人身御供論』）という本だった。

この本は、元々は1994年に発表されたもので、1993年に刊行された別の書籍の文章を収録した文庫版でぼくは初めてふれた。内容は、近代とは、それ以前の時代に人を成熟に導いてきた「通過儀礼」が不可能になった社会である、という認識をもとに、過去の民話から90年代当時のサブカルチャー作品までを読み解き、それらに通底する通過儀礼や「成熟」をめぐる物語の「かたち」を検証する、というものだ。

何やらややこしくなってきたが、ここで、この文章の文脈にひきつけて、大塚の論の大事な部分を取り出すと、それは、大塚が「移行対象」という概念を通して、マンガや映画における人とキャラクターの関係性を読み解いたことだったといえる。

「移行対象」とは精神分析家のウィニコットが考え出した概念で、例えば幼児がいつも手に抱えている毛布やぬいぐるみを指す言葉だ。大塚は「補〈癒し〉としてのクマ　移行対象論」という文章の中で、「移行対象」を次のように説明する。

〈移行対象〉とは子供が母親の庇護《ひご》下から離れ、独り立ちしてゆくプロセスで見出《みいだ》す事物で、例えば『スヌーピーとチャーリー・ブラウン』のコミックに登場する少年ライナスが手にしている毛布が、そのしばしば引き合いに出される例である。幼児が古びたぬいぐるみや薄汚れた毛布に執着するという事例は子供たちを観察していれば、しばしば気づくことだし、私たち自身も幼児期の記憶をたどればなんらかの〈移行対象〉を持っていたはずである。

（『人身御供論』文庫版、240～241頁）

ざっくりと言えば、「移行対象」とは、成長の途上にいる子どもに、ある時期くっついてくる、心理的な同行者の役割を果たす事物なのである。

ぼくには、この考え方が『大人になった僕』と『パディントン』の物語を考える際の手がかりになると思える。

キャラクター映画としての新しさ

大塚は、過去の民話から現代のサブカルチャー作品にまで通底する、ある人物類型に着目した。それは、物語の中で一種、主人公にとって最初の求婚者（パートナー）として登場する人物である。「彼」は一定期間主人公と行動を共にするが、あるとき突然死を迎える。その後主人公は別の人物と結婚するといった結末が描かれる。大塚はこのような構図が民話「猿聟入《さるのむこいり》」から高橋留美子、萩尾望都といった作家のマンガ作品に至るまで共通して見出せることを指摘し、こうした物語における最初のパートナーをウィニコットの「移行対象」と重ね合わせた。

かみくだいて言うと、一種の成長物語の中で、主人公は、彼・彼女にとっての最初のパートナーにあたる「移行対象」的な人物の死（別離）を経験することで、ただひとり外部の現実にたどり着く、成熟の物語を完走することができる、ということだ。

ここで本題に戻れば、ぼくがプーとパディントンの姿に、キャラクター映画として新しさを感じたのは、この「移行対象」という考え方に関連した部分だったのだ。

ふたつの映画は、大塚が注目した「移行対象」の成長物語の構図を踏まえつつ、それを新しい形で読み替えた作品になっている。

先に言うと、これらの映画では「移行対象」を殺害する「成長物語」への違和感が提起されている。「キャラクターを殺害して（キャラクターと別離して）人が成長する」物語から、「キャラクターと共に生きる」あり方への方向転換が見られる。つまり、プーとパディントンは、どちらも人々にとってのかつての「移行対象」であり、このクマたちがいま闘おうとしているのは、これまで当然視されてきた「成長物語」のあり方なんじゃないか。

6 「成長」への違和感

どういうことか。まず『大人になった僕』の方から考えてみたい。

『大人になった僕』では、冒頭に出てくる「少年ロビンがプーと別れてその後成長していく」というかつての「成長物語」への見直しがはかられている。

冒頭の少年ロビンがプーと別れる回想場面は、大塚英志が注目した従来の「移行対象」の物語にあてはまる。プーは殺されはしないが、ロビンが成長するために「別離」をしなければならなかった相手だ。その意味で、プーは単にロビンが少年時代に別れただけでなく、ロビンの成長のために「切り捨てられた」存在と捉えることができる。

この映画で重要なのは、そうやってプーと別れてまで成長しようとした結果がどうだったのか、という疑問が提示されていることだ。大人になったロビンを待っていたのは、（リストラなどで）他者を切り捨てて生きていく価値観が横行する世界だった。

映画の終わりにロビンは冒頭の少年時代とは違う選択をする。ロビンは、他者を切り捨ててでも会社の業績を上げようとする価値観を捨て、家族やプーたち、会社でリストラされそうになっていた同僚たちと共に生きる道を選び取るのだ。

ここには、「移行対象」の物語への一種の反省のような感覚がある。

次に『パディントン』はどうか。

『パディントン』ではいわゆる個人の「成長物語」は描かれないが、その代わりに『1』『2』それぞれに登場する悪役たちが追う、「何者かになる」ことへのアンチテーゼが似た形で描かれる。

『1』の悪役である、地理学者の女性ミリセントはパディントンを剥製にして博物館に展示しようと考え、それによって地理学者協会から栄誉ある学者として認められようとしている人物だ。

『2』の悪役ブキャナンは、かつて有名だったがいまは落ち目の俳優、という人物だ。彼もまた、パディントンに濡れ衣を着せ、隠された財宝を自分が手にして舞台俳優として再び名声を得ようとしている。これらの悪役は、いわば他者を踏みにじって自分だけ「何者かになる」ことを目指す人物である。

国家大の「成長」を象徴する場所

とくに、『1』のミリセントが働く博物館は、ある意味でかつての「大英帝国」的なイギリスの繁栄を象徴する場所になっていることが印象に残る。

「大英帝国」的とは、作中のイギリスの地理学者たちが未開の地への探検で出会った動物たちを殺し、剝製にして陳列している空間ということだ。これは、ぼくには、イギリスという国そのものが自らの「成長」のために、各地で出会った人々（動物たち）を「移行対象」として殺してきた、国家大の「成長」を象徴する場所になっていると思えた。

パディントンとその友人となる人間たちは、そうした自らが「何者かになる」ことのために他者を犠牲にしようとする発想、大英帝国の「成長」に対して、異なる他者と共に生きる道を模索する、「多様なイギリス」を背負う人たちのように見える。

ここまでを整理すると、『大人になった僕』と『パディントン』は、どちらの映画も、そうしたこれまで人が広い意味での「成長」を志向したときに切り捨ててきたものへのまなざしが込められている作品なんじゃないか。

『大人になった僕』では労働問題が、『パディントン』ではＥＵの難民危機や差別の問題が提起されているが、どちらの映画でも、そうした社会問題の根底には、人が「成長」や「何者か」といった「ひとつの到達点」に執着することで、何か大事なものを切り捨ててきてしまった、そういう構図が共有されていると思う。

7 「わたしの中のよそ者たち」を描く映画

このふたつの映画は、仕事漬けで頭がかたくなっている大人のロビンが、観客の男の子から「それはおかしいだろ」とツッコミを受ける、これまでよしとされていた「成長」の形がより未成熟とされる存在から「待った」をかけられる、そういうひとつの転換の必要性を教えてくれる映画だと思う。

さて、このふたつの映画から、ぼくたちは、何を受け取ることができるのだろう。

プーとパディントンの「いきいき」していた姿は、彼らが単に人間から見て外部の架空のキャラクターとして描かれているんじゃなく、人間たちのある種の「分身」として捉えられ、それがいま再評価され活発化している、そういう裏側の構図から伝わってくる感覚なんじゃないか、と考えた。

観客は、ふたつの映画が描く、どこかノスタルジックなロンドンの中で、この「昔のわたし」を思わせるクマたちと出会う。クマたちは、かつて人が「成長」の構図の中で自分自身から切り捨ててきた、人格の一部分なのかもしれない。

ぼくには、これらの映画は、人がこれまで切り捨ててきた「何か」が、クマの姿でもう一度ぼくらに会いにきて、自己主張をし始める、そんな奇妙な映画に思えた。ここで問われているのは、自分が捨てたことにしていたぼくたち自身の中に息づく「よそ者」を、もう一度「わたし」の一部として受け入れられるかどうか、ということだと思う。

ここで「昔のわたし」を「わたしの中のよそ者たち」と言い換えたい。

このふたつの映画は、人が排除してきた、もしくは忘れてしまった「わたしの中のよそ者たち」との出会い直しを描き、また、これからはそういう「よそ者」の方にこそ主体性があるんだ、ということを告げる、新しいタイプの映画だと思う。

こういう視点を持つと、他の映画についてこれまでと違った捉え方ができるようになるんじゃないか。

最近は、ＬＧＢＴＱやエスニック・マイノリティ、障害を持つ人々を主要キャストに起用したり、エンタメ作品のジャンルにおいても社会的な問題をテーマにする映画やドラマが増えてきている。また、そうした動きと一見関係がなさそうでいて、水面下でつながっていると思えるのが、SF映画などで、エイリアンやロボット、クローン人間など、いわゆる〝人間〟の枠からはみ出る存在を主要人物に置く作品が出てきているということだ。『アンダー・ザ・スキン　種の捕食』（2013年）、『エクス・マキナ』（2014年）、『ジュラシック・ワールド　炎の王国』（2018年）などである。

これらの映画もある意味では、人がこれまで排除してきた「わたしの中のよそ者たち」と出会い直すための映画として読み直すことができるんじゃないか。

マイノリティを起用することや、主人公をいわゆる普通の人間とは違うキャラクターにするのは、単に人権に配慮して、とか、奇抜なアイデアで観客を呼び込めるから、そうしているだけではない気がする。プーとパディントンの姿からは、このような動きが起きていることのひとつの「根拠」が見えてくる。

自分の中の前向きではない部分

これまで当然視されていた映画の中の「主人公像」に照らし、切り捨ててきたいろいろな要素をもう一度「わたし」の中に取り込んでいく、ある種の「わたしの中のよそ者たち」の復権が行われているのではないか。

以前、ぼくは日本で暮らしているときに感じる「働けない」感や「よそ者」感といったものについて、いまより不安を覚えることが多かった。それらは自分の中のよりもろい部分であるわけで、いつそれが社会から排除の対象にされるか分かったもんじゃないな、と。けれど、映画の中のプーとパディントンを見ると、そういう自分の中の前向きじゃない部分が、なぜか「いきいき」としたクマの姿になり、いま一度自分の前に戻ってきてくれた、というような不思議な頼もしさを感じる。クマたちは、もう排除されるだけのもろい存在じゃなくて、社会と闘うことを選び取ったんだな、と思うようになった。

第2章　ぼくたちは生き残らなければいけないのか

——深作欣二監督『バトル・ロワイアル』をいま見る

　スペインから帰国してしばらくぼくの頭に残っていたのは、ふたつの映画に登場するクマたちの姿だった。人間社会に迷い込みながらも、縦横無尽に動き回る「よそ者」としてのクマ。その姿に、ぼくはスペインという異国に逃げ出した自分自身の経験を重ねていた。けれども、日本へ帰国して日が経つにつれぼくの注意を引くようになったのは、自分が生活を再開した日本の社会に存在するある種の雰囲気、そこで広がっている生き方、言葉の問題だった。

1　生き残らないといけないの？

「サヴァイヴ」という言葉を意識したことはあるだろうか。

この言葉は、元々英語では「生き残る」という意味なのだけれど、いつからか日本社会の世知辛さを象徴するひとつの用語として、時々使われるのを目にするようになった。

どういう意味で使われているかというと、これからは厳しい世の中なんだから、何か資格や能力を身につけ、他人に勝って生きるんだ（！）、というようなニュアンスを持って使われている気がする。

ぼくは、この言葉には前から大きな違和感を持っていた。理屈はともかく、その内容には、どことなくいじわるい、マッチョな響きがあると思えたからだ。

2019年、スペインでの1年間の滞在から戻り、また東京の実家で暮らし始めると、いろいろなところでこの「サヴァイヴ」または「生き残る」といった言葉を耳にし、なんか窮屈だなあ、と思った。

帰国後、ぼくはある大学の日本語教師養成のための公開講座に通い始めた。将来海外で働きたい、長時間労働などの多い日本でなくても働く手段を持っておきたいと思い、日本語教師をやってみようか、と思ったのである。

で、講座自体はとても面白く、２０２０年の3月に無事修了できたのだけれど、「おや」と思ったのは、代わる代わる講座で話してくれる研究者や教育の専門家の人たちの口から、「〜をできないとこの業界では生き残れない」「生き残るためには〜」などといった言葉が出てきたことだった。

本人たちは深い意味はなくその言葉を使ったのだろうけれど、それにしても異文化コミュニケーションといった分野に通じる、リベラルな人たちの口からこうもスルリと、自然に「生き残る」という言葉が出てくるとはなあ、と驚いた。

いまこうした「生き残る」という言葉にあらわされた、ヒリヒリした人生観は、無意識的な形でぼくの前後の世代、20代から40代くらいの人たちには広まっている気がする。

「サヴァイヴ」の悪循環

東京で暮らしているとひきこもりやニート、ひどい職場で働かされた人、マイノリティ的な事情を持つ人など、いまの日本で肩身の狭い思いをさせられている人がかなりの割合でいると感じる。だが、そんな人たちの中にさえ、この「サヴァイヴ」的な考え方がかなりの程度浸透していて、多くの問題が引き起こされている。

例えば、日本での働き方に違和感を持った人たちの間で、田舎や海外に移住したり、フリーランスの仕事やNPOで働いたりする動きが出てきていると思うけれど、そうやって活路を見出そうとした先でも働きすぎたり、他人と競争したりして、すり減ってしまう、そんな本末転倒な光景を目にすることがこの数年多かった。また、社会的に不利な立場に置かれた人が、なぜか右派の「カリスマ政治家」や競争主義肯定の「やり手起業家」といった人々に惹きつけられてしまっていることもざらにある。

「サヴァイヴ」の問題点は、「社会のここがおかしい」と気がついた人が、「じゃその問題をどう解決していくか」という方向に向かわずに、結局「どう能力をつけて他人に勝つか」という元々自分が嫌な目にあった方向に回収されていく、一種の悪循環を生み出すことにあると思う。

ノンビリただ普通に生きたい、そんな風に構えていても、東京に戻るとかなりの頻度でこの「サヴァイヴ」的な価値観と対面せざるを得ない。そんなことが思えモヤモヤしていると、なぜか、もう一度あれが見たいなあ、という映画がひとつ出てきた。それは、深作欣二が監督した『バトル・ロワイアル』（2000年）。

『バトル・ロワイアル』……。ひと昔前の映画だけれど、見たことはあるだろうか。

ぼくが小学5年生だったとき、『バトル・ロワイアル』が公開され、ニュースなどでよく騒がれていた。中学生たちがある孤島へ連れていかれ、大人たちから強制され、殺し合いゲームをやらされる内容の映画で、なぜメディアで取り上げられていたのか、詳しい事情はよく分からなかったが、暴力的で子どもは見ちゃいけない云々《うんぬん》という話なんだろうな、とだけ理解していた。

それから数年後、中学生のとき、映画好きの父がレンタルビデオ店でこの映画を借りてきて、親子でなぜか『バトル・ロワイアル』を見た。ヒロインの女の子（前田亜季）と教師（ビートたけし）が同じ夢を見て、夢の中ふたりで河原を歩く場面が印象的で記憶に残っている。終わりまで見た後、「普通に中身のある映画じゃないか」と思え、なぜこれが騒ぎになったのか分からず、不思議に感じた。

さて、スペインから帰国した2019年に家のテレビで久しぶりに頭の片隅にあったこの『バトル・ロワイアル』を見直したところ、「サヴァイヴ」という言葉と関連して、いろいろ考えさせられるものがあった。

この映画は、「サヴァイヴ」のテーマを描きながらも、世間で見たり聞いたりする考え方とはまったく違う観点を与えてくれる作品だと思えた。

監督の深作欣二は、1930年に生まれ、70年代に『仁義なき戦い』(1973年)というヤクザ映画を撮り、以後「実録ヤクザ映画」の監督として知られるようになった人。80年代以降は大作、エンタメ作品を多く撮ったが、晩年になぜか中学生42人の殺し合いを描く、この『バトル・ロワイアル』を撮り、国会で批判的に取り上げられるなど物議をかもした。続編の『バトル・ロワイアルⅡ【鎮魂歌《レクイエム》】』(2003年)の撮影が始まった初期に、闘病中だったがんが悪化し、2003年に亡くなった。

ぼくは深作というと、ヤクザ映画の人、というイメージがあったし、映画好きの人たちの間では「バイオレンス」や「アクション」の監督とみなされてきた。でも、今回久しぶりに『バトル・ロワイアル』を見直し、またいくつかその監督作品を見てみると、どうも「若者同士の殺し合い」、一種のサヴァイヴ的なテーマをずっと追いかけてきた人だったんじゃないか、と思うようになった。

『バトル・ロワイアル』から伝わってくる、普通とはまったく違う「サヴァイヴ」の捉え方。そこから何か受け取れるものがあるんじゃないか。深作欣二の2000年の映画『バトル・ロワイアル』を振り返り、深作の他の映画とも照らしながら、いまの時代の「サヴァイヴ／生き残り」について考えてみたい。

2 「サヴァイヴ」という言葉

さて、本題に入る前に、ぼくがここまで言ってきた「サヴァイヴ／生き残り」という言葉について簡単に3つほど、おさえておきたい。

まずひとつめ。「サヴァイヴ」とは、ある人が社会の中で生きようとするとき、何らかの能力や努力といったものが過度な形で要求され、また他の人たちとイスをめぐって争わなければならない、そういう考え方、もしくは状況のことである。

その上で、ふたつめは、「サヴァイヴ」は、必ずしも新しい言葉ではないということ。この言葉は、少なくとも10年以上前からいろいろなフィクションのテーマとして扱われてきたし、批評やルポルタージュなどの文章でも語られてきた。また、「サヴァイヴ」の背景に存在する時代の「切迫」した感覚は、いま30代のぼくより一回り上の世代、「ロストジェネレーション」と呼ばれる人たちの頃からすでに、就職氷河期、派遣労働、違法労働などのトピックを通して広まってきたものだと思う。

だからぼくは「サヴァイヴ」を新しい言葉、状況と言いたいわけではなく、90年代のはじめにバブルが終わり、以降20年、30年かけて広がってきた状況に根差した言葉として受け取り、その上で、最近また一段とこの言葉を聞くようになったことに注目している。

「サヴァイヴ」の異なるあり方

3つめは、「サヴァイヴ」は、ぼくが捉えた意味合いではなく、社会の歪《ゆが》みや問題にさらされた個人が自分の「生存権」を主張するといった文脈でも使われていることに注意しておきたい。

例えば、作家の雨宮《あまみや》処凜《かりん》は『生きさせろ！──難民化する若者たち』（太田出版、2007年、以下『生きさせろ！』）という本で、2000年以降のフリーターや派遣労働者の若者たちを取材し、その過酷な労働状況や企業による若者の使い捨てを取り上げ、「生きることそのもの」が「脅かされている」状況を問題提起した。雨宮は、資本主義が「人を人として扱わなくなった」ことを批判した上で、次のように宣言している。

闘いのテーマは、ただたんに「生存」である。生きさせろ、ということである。生きていけるだけの金をよこせ。メシを食わせろ。人を馬鹿にした働かせ方をするな。俺は、私は人間だ。

（『生きさせろ！』文庫版、12頁）

ここでの「生存」「生きさせろ」という言葉は、ぼくが先に書いた、他人を蹴落として生きるという競争主義的な意味での「サヴァイヴ」とは違い、そのような過酷な状況に置かれること自体がおかしいんじゃないか、普通に生きさせろ、という意味合いのものであり、競争的なあり方そのものへの反撃、「生存権」の主張をあらわすものになっている。ぼくは、この雨宮の言葉には、きわめてまっとうなものがあると思う。

また、これは2019年9月のことだが、SEALDsのメンバーだった奥田愛基《あき》らが主催する音楽イベント「THE M/ALL2019」があり、このイベントのテーマも「SURVIVE＝『生きぬく』」というものだった。ステートメントでは、子どもの貧困、労働問題、原発、差別など、いまの日本の諸問題にふれ、「こんな状況だからこそ、あえて。私たちは、音と、言葉と、ありとあらゆる手段を使って『生きぬく』と呼びかける」と書かれていた。

この場合の「サヴァイヴ」も、雨宮と同じく、競争的な状況や社会の歪みにさらされる人たちの「生存権」の主張、という側面があると思う。ぼくは、こうした主張には共感していることを明記したい。しかし、最初に述べた、人が多くを要求され、他人を蹴落として生きるという意味合いの「サヴァイヴ」については「それは違うよ」という感覚を強く持っている。ここで問題にしたいのは、ひとつめとふたつめでふれた、競争主義的な意味での「サヴァイヴ」だということをおさえてもらいたい。

3 「後ろ向き」に「サヴァイヴ」を捉えた『バトル・ロワイアル』

ぼくが久しぶりに『バトル・ロワイアル』（以下『バトル』）を見直して面白いと思ったのは、中学生たちの孤島での殺し合いを、競争主義的な「サヴァイヴ」思考のように、さあ、これからは厳しい世の中だ、力をつけて生き残れ、という風には描かず、それよりも死んでいくひとりひとりの中学生の姿を映像的に追うことに力を入れていて、どこか「後ろ向き」に「サヴァイヴ」を捉える姿勢があると感じられたことだった。

それは、例えば劇中で山本太郎が演じている、主人公ふたりを助ける川田《かわだ》章吾《しょうご》というキャラクターの描き方や、殺し合いゲームに参加する42人の生徒ひとりひとりの撮り方などからそう思えた。詳しくはこの後書いていく。

いったんここで、『バトル』について概略しよう。

『バトル』は、高見広春《こうしゅん》による同名の若者向け小説『バトル・ロワイアル』（太田出版、1999年）を原作とし、新世紀初頭にある国（日本）で大人たちが中学生に殺し合いをさせる殺人ゲームを合法化し、孤島に連れていかれた中学生42人が殺し合うアクション映画だ。

高見の原作は、元々、日本ホラー小説大賞の最終選考に残り、中学生が殺し合いをする内容であることから審査員たちの反発を受け、落選した経緯を持つ。しかし、それが太田出版から書籍化されるとベストセラーとなり、たまたま息子の深作健太（映画監督・脚本家）から本を見せられた父欣二が、本の帯にあった「中学生42人皆殺し!?」という文章に触発され、映画化を決心したという。

映画は、脚本を深作健太が書き、設定上原作との違いがいくつかあるが、大筋において物語は同じで、登場人物もほぼ一致している。2003年に続編として『バトル・ロワイアルⅡ【鎮魂歌《レクイエム》】』が公開されたが、クランクイン直後に深作欣二が亡くなり、深作健太が大部分の監督を引き継ぎ完成させた。この2作目については、今回はふれない。

深作欣二作品に通底するもの

映画のあらすじは次のようなものだ。

新世紀のはじめ、ある国（日本）が崩壊する。失業、不登校、校内暴力……自信をなくした大人たちは子どもをおそれ、BR法という法律を作り、子どもたちをお互いに殺し合わせる殺人ゲーム「バトル・ロワイアル」に参加させるようになる。

城岩学園中学校3年B組の生徒たちは、修学旅行のバスに乗っている最中に意識を失い、ある島の廃校で目を覚ます。突然校庭にヘリコプターが着陸し、彼らの前にかつての担任教師キタノ（ビートたけし）が大勢の軍人を連れてあらわれる。キタノは子どもたちに「今日はみなさんにちょっと殺し合いをしてもらいます」と告げ、全員が「バトル・ロワイアル」に強制的に参加させられたことを伝える。生徒たちは、最初反発を示すも、ひとりひとり武器と食料を渡され、島の各地へ散らばっていく。ここから殺し合いが始まる。

主人公七原秋也《ななはらしゅうや》（藤原竜也《たつや》）と中川典子《なかがわのりこ》（前田亜季）は行動を共にし、林の中で数年前の「バトル・ロワイアル」を生き残った優勝者であり、今回再び強制的に参加させられた青年川田章吾（山本太郎）と出会う。秋也と典子、川田は、他の生徒たちと戦いながら、島からの脱出を目指す。

以前からぼくには、なぜ戦前生まれで『仁義なき戦い』などで戦後のヤクザの暴力を描いた深作欣二が「少年犯罪」や「校内暴力」など下の世代のテーマを持つ『バトル』を監督したのだろう、という疑問が頭の中にあった。そこで今回『バトル』を見直したところ、何かいまでもクリティカルなところがあるな、と感じられ、続けて『仁義なき戦い』や、70年代に撮られた『県警対組織暴力』（1975年）といった作品を見てみると、どれもいまの時代にしっくりくるものがある。

若者たちが閉塞した状況で殺し合い、バタバタ無惨に死んでいくという構図が『バトル』にも他の深作作品にも共通していたことにいまさらながら気づかされ、深作は「サヴァイヴ」のテーマを追ってきた人だと捉えてもいいんじゃないか、と思えるようになった。

深作の「サヴァイヴ」のテーマとは、一言でいえば、追い込まれた若者たちの殺し合いだが、さらにその若者たちを利用し犬死にさせる「大人たち」の存在、また、時代や社会の流れに見捨てられた人々がこのような状況に追い込まれる、という要素も加わってくる。

4　死んでいく生徒たちの表情、言葉への目線

死んでいく生徒たちの姿を追う、という演出はどんなものか。

『バトル』を久しぶりに見てみたところ、藤原竜也や山本太郎をはじめとした当時の若い俳優たちがとにかく身体全体を使って動き回り、銃や爆薬を使ったアクションに挑んでいること、次から次へ新たな生徒同士の戦闘が重なり、異様な迫力が生まれていることに強い印象を受けた。しかしその一方で、そうやって次々に出てきては死んでいく生徒たちの表情やふとした瞬間の言葉といった要素をしっかり丁寧に描いている側面があり、激しい戦闘場面と生徒たちの姿を丹念に描写する、そのギャップにより興味をひかれた。

例えば、この映画の殺人ゲーム「バトル・ロワイアル」では、42人いる生徒のうち、最後のひとりしか生き残れないルールになっていて、ほとんどの生徒はあっという間に死んでいく。にもかかわらず、冒頭の場面からそれぞれの生徒をはっきり描き分ける工夫がなされている。主人公たちが島の廃校で目を覚まし、教師キタノと軍人たちから武器と食料が入ったカバンを受け取り、ひとりひとり島の各地へ散らばっていく場面で、全員ではな

いが、何人もの生徒たちのそれぞれに違った態度、顔に浮かんだ表情が描き分けられているのだ。おびえきった男子生徒、親しい友人と別れを惜しむ女子生徒、抗議の意志を示してカバンをキタノに投げ返す生徒など……。

言葉に関して言えば、『バトル』では、脚本を書いた深作健太のアイデアで、登場人物たちのいくつかのセリフが画面に字幕となってあらわれる手法が採られている。例えば、劇中後半で主人公秋也が負傷して意識を失っていたところ、他の生徒の助けで島にある灯台に担ぎ込まれ、そこで女子生徒の内海幸枝《うつみゆきえ》（石川絵里）から手当てを受ける場面がある。この内海は秋也に好意を持っており、遠回しに自分の気持ちを彼に伝え、「……ねえ、この意味わかる?」と聞く。このセリフが、その少し後の場面で字幕となって再びあらわれるのである。こうした字幕であらわされる言葉は、それだけでは一見なんてことのないものだったり、少しクサいセリフであったりするのだけれど、字幕化され強調されると、死んでいった同級生たちが残した言葉として重みを帯びる。

死んでいく人を丹念に描く

映画評論家の山根貞男が深作欣二に行ったインタビュー（深作欣二、山根貞男『映画監督深作欣二』ワイズ出版、２００３年）によると、山根が『バトル』のシナリオでは主人公たちだけでなく42人の生徒全員が粒立って描かれていることに感心したと言うと、深作は、自分は42人もいらないだろうと思ったが、脚本を書いた深作健太に42人は絶対に必要と言われ、自分も後からその通りだと気がついた、と話している。ぼくは、この『バトル』は深作欣二その人の個性、能力だけででき上がっているとはもちろん思っていないし、とくにこの作品はかなりの部分で息子の深作健太の持ち味があらわれた作品にもなっていると思う。とはいえ、死んでいく生徒たちの表情や言葉を描く側面は、深作健太のアイデアや着想が基底にありつつも、それまでの深作欣二の映画の撮り方と非常にマッチする部分があったんじゃないかと思う。というのは、深作の映画には元々「死んでいく人を丹念に描く」という側面が見られるからだ。

5　限定された生を描く

深作欣二の映画には、登場人物の言葉や表情を追うこととは別に、ある人物が死ぬまでの数秒間、数分間を丹念に描くという特徴があり、それが『バトル』では、中学生たちの言葉や表情を追う演出とあいまって、この映画の独特な空気感を作り上げている。

死ぬまでの数秒間、数分間を描くとは、どういうことかというと、ある人物が殺し合いの中で刺されたり、銃で撃たれたりしても、息絶えるまでになぜかやたらと時間がかかり、もがいたり暴れたりする様子がカメラにしっかり映されるということだ。

例えば、『バトル』では、柴咲《しばさき》コウが演じる相馬光子《そうまみつこ》という女子生徒が別の生徒にマシンガンと拳銃で撃たれるのだが、彼女は撃たれては起き上がり、撃たれては起き上がりという動作を三度くらい繰り返してようやく絶命する。

『仁義なき戦い』などの往年の深作のアクション映画でも、ヤクザのキャラクターたちは銃や刀をまるでこぶしで相手と殴り合うときのように、近距離で狙いもろくにつけず、何度も撃ちまくったり、切りつけたりする。それでいて、撃たれ、切られた方もすぐには死なない。そして、路上や畳の上で苦しそうに死ぬまでのわずかな過程がカメラに映される。

ぼくは、こうした「死んでいく人を丹念に描く」ことを、ある人物の死が確定した後の「残りの生」を描くという深作独特の描写と捉えてみると、それはそれで面白い気がする。

これをかりに「限定された生」を描く手法と名付けてみよう。

『バトル』に見られる、死んでいく中学生たちの表情や言葉を追う演出は、致命傷を負い、あと数分、数秒で死んでしまう人物のもがき、「限定された生」を描くというあり方と同じ部分がある気がする。時間の差はあれど、どちらももうすぐ死が訪れる人物に残された、わずかな生を描く演出だからだ。

このあたりから、ぼくには、『バトル』で描かれる「サヴァイヴ」が、よく見聞きするいまの「サヴァイヴ」的な考え方とは、何か大きく違うものがある、という感触が得られた。いまの「サヴァイヴ」の考え方は、自分だけは生き残れ、と人に呼びかけるものであり、言ってみれば「前」へ、「未来」へ目を向けた思考だと思うけれど、一方深作の『バトル』では、死んだ人たちの方を振り返れ、と「過去」の方を向いていて、これがぼくがこの映画には「後ろ向き」なものがあると感じる理由なのである。

6　山本太郎が演じる「場違いな男」

ところで、ぼくが今回『バトル』を見直す中で、一番面白いポイントだと思ったのは、山本太郎が演じる川田章吾というキャラクターだった。なぜ『バトル』では普通の「サヴァイヴ」思考とは違った「後ろ向き」な姿勢が描かれるのかを考えたとき、この川田というキャラクターにその理由が垣間見《かいまみ》える気がした。

ここからは、川田がどういうキャラクターなのか、さらに深作欣二が『バトル』以前の監督作品でどのような人物たちを描いてきたのかを振り返り、「後ろ向きな」姿勢が描かれるその理由に迫っていきたい。

『バトル』を見ていて、この映画には何か変なところがあるな、と思える点として、映画の主役が秋也と典子という男女のカップルなのに、実際は彼らふたりを手助けする助っ人的な役回りの川田の方が活躍し、目立っていることがある。

先述の通り、川田は、主人公たちと同じ3年B組の生徒ではなく、じつは3年前に行われた「バトル・ロワイアル」の優勝者であり、今回の戦いには強制的に参加させられた青年だ（ちなみに以前のゲームの優勝者としてはもうひとり安藤政信演じる桐山和雄という青年も登場し、こちらは主人公たちと対立する）。

この川田は、途中負傷した典子のケガの手当てを手伝ったことがきっかけで、以後主人公ふたりに協力するようになるのだが、ふたりの代わりに最後の強敵を倒してしまったり、食料を調達したり、はたまた脱出用の船の操縦までこなし、また人柄も快活で、オールマイティな人物として描かれる。ぼくは『バトル』を見ていて、「サヴァイヴ」がテーマの映画なのに、主人公たちにとってこんな都合のいい人物が登場してしまっていいのだろうか、と不思議な感じがし、また、この川田のどこか「場違い」な雰囲気が面白いと思えた。

しかし、じつは川田は、ある「後ろ向き」な姿勢を持ったキャラクターでもある。

それは、川田が過去の「バトル・ロワイアル」で終盤まで恋人の慶子《けいこ》（美波《みなみ》）を守り抜こうとしたが、最後タイムリミットが迫ったとき、彼女から銃で撃たれ、川田がとっさに撃ち返すと、それが致命傷になり、彼女は最後に川田に笑顔を向け、息を引き取った——川田にはその笑顔の意味が分からず、今度こそ慶子の笑顔の本当の意味を知りたい、という意志を持っている、という事情である。

この「殺してしまった彼女の残した笑顔の意味を知りたい」という川田の目的は、高見広春の原作小説にはない設定で、先に書いてきた「死んでいく生徒たちの姿を追う」「限定された生を描く」といった要素とあいまって、この映画版の「サヴァイヴ」への「後ろ向き」な姿勢を形作る重要なファクターになっていると思う。

ハングリー精神の不在

ここでひとつ比較をしてみる。深作欣二の『バトル』は、川田という登場人物に着目すると、例えば評論家の宇野常寛《つねひろ》が『ゼロ年代の想像力』（早川書房、２００８年）という本で命名した「サヴァイヴ系」と呼ばれる、ある種の「サヴァイヴ感」を前面に出した同時代の作品群とは大きな違いを持つ映画だったことが分かる。

宇野は、２００１年前後から、アメリカの同時多発テロ事件や日本での新自由主義的な「構造改革」路線、「格差社会」意識の浸透などにより、「サヴァイヴ感」とも言うべき感覚が社会に共有され始めたという。そうした時代的な変化の中で、「自分の力で生き残る」というある種の「決断主義」的な傾向を持つ「サヴァイヴ感」を打ち出した作品があらわれたと論じた。具体的には深作欣二の『バトル』の原作小説である高見広春『バトル・ロワイアル』や大場つぐみと小畑《おばた》健《たけし》による漫画『DEATH NOTE』（２００３〜２００６年）、アニメ『コードギアス　反逆のルルーシュ』（２００６〜２００７年）などが取り上げられた。

宇野が語った「サヴァイヴ系」の作品では、「決断主義」的な主人公の存在が強調されたが、たしかに『DEATH NOTE』や『コードギアス　反逆のルルーシュ』といった作品では、自分が追い求める理想のために殺人も辞さない、策略を弄して対立する人物を次々に排除していく、冷酷な青年が主人公として描かれた。彼らは、自分だけは生き残って

（＝勝ち残って）みせる、というハングリー精神を持っている。けれどもこうした人物像と比較すると、深作の『バトル』の川田の特異さが際立つのである。川田は戦略でもって相手をやり込めるタイプの人物ではないし、また、「（おれは）死なない」とは発言するものの、生き残ってみせる、などと宣言するまでのスタンスは見せず、あくまで死んだ彼女の笑顔の意味を知りたい、秋也と典子を助けてやりたい、という姿勢が目立つ人物だ。

同時代の似たようなテーマを描く作品のキャラクターたちと比べてみると、『バトル』では、川田が目立っているあたりに、「サヴァイヴ」を捉える上での違いが見えてくる。

7　時代とのズレを抱える人物

深作欣二の『バトル』以前の映画では、どんな人物たちが描かれてきたのだろう。

今回ぼくが見たのは、深作の60年代の映画のいくつかと、70年代のヤクザ・アクション映画、80年代以降のエンタメ系の作品のいくつかで、すべての監督作品を見られたわけではないのだけれど、多くの作品に『バトル』と重なる要素を持つ登場人物やモチーフが描かれていることに気がついた。

例えば、深作の映画には、「時代に置いていかれた人物」や「時代や社会に見捨てられた人物」がよく出てくる。また、ひとつのモチーフとして、そういったキャラクターたちが直面する「時代・社会の変化」というものが描かれる。

まず「時代に置いていかれた人物」というと、深作の代表作『仁義なき戦い』の主人公広能昌三《ひろのしょうぞう》や1968年に撮られた『博徒解散式』の鶴田浩二が演じる主人公黒木徹《とおる》などに見られる「刑務所帰り」のヤクザ、という人物像がある。「刑務所帰り」がなぜ時代に置いていかれた人なのかというと、そうした主人公が自分が所属するヤクザの組のために罪をかぶり、何年か経って刑務所から娑婆《しゃば》へ出てくると、ヤクザ社会にある変化が起きていて、主人公はその新しい状況に適応できない展開が描かれるからだ。

深作のいくつかのヤクザ映画では「解散式」というモチーフがあり、ヤクザの組が、警察やジャーナリズムなど社会からの追及、圧迫を逃れるため、また変わりゆく時代に順応するために「企業」や「政治団体」に表面だけ衣替えする過程が描かれる。「刑務所帰り」の主人公は、過去を引きずる立場から、「解散式」によって表面だけを変えようとする組の幹部たちと対立する構図になっている。

この「時代遅れ」感は、他の作品では『柳生《やぎゅう》一族の陰謀』（1978年）の主人公柳生十兵衛（千葉真一）や『道頓堀川』（1982年）での「ビリヤード」のモチーフ、『蒲田《かまた》行進曲』（1982年）の「階段落ち」など、ヤクザ映画以外の作品にも共通している。

ともかく『バトル』の川田もまた、かつての殺人ゲームの参加者で、いま再び殺し合いの渦中へ戻ってきた人物であり、過去を見据えながら大人たちの殺人ゲームに抵抗しようとする点がどこか『仁義なき戦い』などの「刑務所帰り」の主人公たちと重なるし、秋也と典子をはじめとする3年B組の生徒たちと違って、ただひとり過去を引きずった人物である点で、深作の「時代に置いていかれた人物」の特徴を共有していると思える。

戦後日本で排除される存在

次に「時代や社会に見捨てられた人物」という描写に目を向けると、これはかなりの人数のキャラクターたちが描かれてきたんじゃないか。例えば『仁義なき戦い』など深作が監督するバイオレンス映画のヤクザは、戦後日本の変化の波に乗り遅れ、排除される存在として描かれている。

深作は、他には『赤穂《あこう》城断絶』（1978年）や『忠臣蔵外伝　四谷《よつや》怪談』（1994年）

で、忠臣蔵の四十七士の浪人たちを同じ観点から捉えている。浪人たちは、幕府に見捨てられ、主君の仇討《あだうち》という目的に縛りつけられ、死地へ向かっていく人物たちだ。

こうした不特定多数の「時代や社会に見捨てられた人物」というモチーフが、『バトル』では大人たちによって殺人ゲームに送り込まれる中学生たちの姿であらわれている。

さて、こうした人物たちを振り返ると、深作映画の「サヴァイヴ」では、まず『バトル』の中学生たちのように「時代や社会に見捨てられた人物」たちがある閉塞した状況に追い込まれ、そこで殺し合いをさせられる、という側面があることに気がつく。その光景を川田や『仁義なき戦い』の広能のような、自分も過去の殺し合いをかろうじて生き延びた人物が苦々しい思いで見つめる、という構図がよく取られる。

ここで重要なのは、こうした「サヴァイヴ」状況が生じるひとつの理由として、つねに深作の映画では人々につきまとう「時代・社会の変化」が出てきていることだと思う。その変化とは何なのか。

8 「よけいなお世話だ」という違和感

深作欣二のインタビューを読んでみると、深作映画の中に見られる「時代・社会の変化」とは、深作が戦争直後に感じた、戦後の日本社会への違和感がもとになったモチーフなんじゃないかと思えた。

深作は、山根貞男によるインタビューで、戦後、イタリアの映画監督ロベルト・ロッセリーニの映画を見たことで「抵抗」という感覚を教えられたと言い、ロッセリーニへの共感を語りつつ、戦後間もない頃に自分が感じた感覚を次のように話している。

(…) 焼け跡のなかに放り出されて俺たちは何をするねんとなったときに、あんなに簡単に万歳突撃をやらされてやっと生き残ったところで、さあ、これからはもう平和のために生きろと言われて、「何を言うてるんだ、よけいなお世話だ」という気持につながるものとして、自分の場合はいわゆる左翼的抵抗というよりはもうちょっと捻《ひね》くれた形のほうがしっくりするというようなことはあった。

（『映画監督　深作欣二』133〜134頁）

深作欣二は1930年に現在の茨城県水戸市で生まれ、日本が戦争に負け、終戦したときちょうど『バトル』の主人公たちと同じ15歳の少年だった。この年には、勤労動員で通っていた兵器工場が爆撃され、翌日死体の片付けに従事してもいる。ここで深作が語っているのは、戦時中の「万歳突撃」はおかしい、しかし、戦後は戦後で「平和のために」という主張が中身をともなう変化によるものではなく、表面的な標語のようなものとして流布され、それはそれで違和感がある、ということなのではないか。

そう思えるのは、この深作の言葉が、例えばシリーズ5作目『仁義なき戦い　完結篇《へん》』（1974年）の一場面と重なるからだ。『完結篇』の冒頭では、警察の目を欺くために広島のヤクザたちが団結し、政治団体「天政会」に衣替えし、街路で「民主主義」を呼びかけたり、「永久平和」「福祉国家建設」などと書かれた横断幕を持ってデモ行進したりする姿が描かれる。格好はヤクザのままで、口から出まかせなのだが、その姿には、戦後日本の変化とは何だったのか、と考えさせられるものがある。

インタビューの別の部分（215頁）では、深作が戦後間もなく出てきた闇市の喧騒《けんそう》に共感を持った一方で、「七〇年代になると、本当に世の中が綺麗《きれい》に綺麗になってましたからね。それに対する苛立《いらだ》ち、違和感みたいなもの」があったとも語っている。

これらを踏まえると、深作の映画で「時代に置いていかれた人物」が主人公とされるときの、また「時代や社会に見捨てられた人物」についてまわる「時代・社会の変化」とは、戦争が終わり、戦後が始まる際の日本社会の変化のことだったとぼくには思える。

9 『広島死闘篇』のふたりの若者像

この戦後への深作の違和感について、もう一歩踏み込むとさらに面白い点がある。それは、この違和感は、戦争を経験した人たち、もしくは戦争の死者や戦時中の出来事といった過去を引きずる世代だけが感じるものではなかったんじゃないか、ということだ。

もっと言うと、深作が持った戦後への違和感は、いまの時代に生きるぼくたちが日本の社会に対して感じる違和感ともどこかつながっているものだろう、と思える部分がある。

『仁義なき戦い』シリーズ2作目の『仁義なき戦い　広島死闘篇』（1973年）には、ふたりの若いヤクザの主人公が登場し、戦後の若者同士の対立が描かれる。

ひとりは北大路欣也《きたおおじきんや》が演じる山中正治《しょうじ》、もうひとりは千葉真一が演じる大友勝利《かつとし》だ。山中は年齢が若かったため特攻隊に行けず、戦後死に場所を求めて広島のヤクザ村岡組に入る、暗い影を引きずった人物だ。一方、大友は、テキ屋の大友連合会会長の息子で、自分のやりたいように好きなことをやってやるぞという姿勢を持つ、凶暴な抑えのきかない青年として描かれる。

深作はインタビューで、前者の山中は、『仁義なき戦い』シリーズの脚本家で深作より3歳年上であり、海兵団に入っていた経験を持つ笠原《かさはら》和夫の情感が込められた人物であり、一方深作自身は後者の大友の方に「ビンビンくる」と語っている。

ぼくにとって興味深いのは、『広島死闘篇』では、山中は戦争の記憶を背負う人物として戦後に適応できずに死ぬ、いわば1954年の最初の『ゴジラ』（監督：本多猪四郎《いしろう》）で描かれた戦争の影を引きずる芹沢《せりざわ》博士とゴジラの一対のような、ある意味で分かりやすいキャラクターなのだが、一方で「好きなことをやるぞ」という一見ただの「戦後の若者」に見える大友は大成するかと思いきや、そうはならないことである。結局山中は自殺し、大友の方も逮捕され、彼らの父親世代の「大人たち」が最後山中の葬式で余裕の態度で世間話をしたりする姿が描かれる。

戦後は本当に変わったのか？

深作の「サヴァイヴ」についてもうひとつ重要と思える点は、つねに金や権力を握り、立場や主張をコロコロ変えて生き延びる年長世代の「大人」たちが若者を利用し、殺し合わせる、という世代間対立の要素が含まれていることだ。

これと似た展開は、『仁義なき戦い』の1作目にもあり、若者たちを利用して殺し合わせる組長の山守《やまもり》義雄（金子信雄）に対して、「したいことが自由にできる組」を作ろうと独立する坂井鉄也（松方弘樹《まつかたひろき》）という若いヤクザが勢力を急拡大するのだが、結局坂井は老《ろう》獪《かい》な山守に殺されてしまう。

山中ほど戦争の記憶を引きずってはいない、大友勝利や坂井鉄也のような「やりたいことをやろう」という戦後志向の若者たちがなぜかうまくいかない姿が描かれることからは、深作が語る戦後への違和感とは、戦争の記憶を引きずる世代だけが持つ違和感ではなく、戦後に生まれた人たちにまでつながるものであったと受け取れる気がした。

深作が戦後に対して抱いた違和感をぼくなりにかみくだくと、それは、そもそも戦後社会は、個人がやりたいことをやろう、自由にやろうとしても、本当の意味では叶《かな》わない空間なんじゃないか、結局立場や主張をコロコロ変え、時代の変化に順応し、若者たちを利用する老人たちが金や権力を握って勝利する、その状況は戦時中とまったく変わってないじゃないか、と、こういう問題提起を含む感覚だったのだと思える。

深作映画の中で「サヴァイヴ」が生じる要因としての「時代・社会の変化」が、戦後への違和感に根差したものだと考えると、ぼくには、深作にとって「サヴァイヴ」とは、昔から存在した根が深い問題として捉えられていたんじゃないか、と思えた。

なぜ『バトル』で「サヴァイヴ」を「後ろ向き」に描く姿勢があるかといえば、それは、「サヴァイヴ」が以前から繰り返されてきた問題であり、すでにその中で多くの人がつぶされている、だから自分だけは生き残る、ではなく、死んでしまった、もしくは自分が殺してしまった人たちのことを振り返らなければ、という考えがあったのだと思う。

10 抵抗の手がかり——柴咲コウの相馬光子

では「サヴァイヴ」をこういう息の長い問題として捉えたとき、人はそれにどう抵抗していくことができるのか。そのヒントを『バトル』と他の深作作品をもとに最後に考えてみたい。

今回『バトル』を見て山本太郎の川田の他にもうひとり印象に残った登場人物がいる。それは、柴咲コウが演じた相馬光子という女子生徒だ。ぼくは、このキャラクターに「サヴァイヴ」への抵抗をどのように行うことができるかのヒントを読み取れる気がする。

光子は、殺人ゲームに強制参加させられる中学生たちの中で、とくに好戦的で他の生徒を次々に殺していく少女だ。主人公典子の友人江藤恵《めぐみ》（池田早矢加《さやか》）をはじめ、男女をとわず同級生たちを殺し、最後は別の生徒から奇襲を受け、命を落とす。

柴咲コウの演技は凄《すご》みがある。例えば、光子が友好的な態度を装い、典子の友人である恵をだまし、彼女の首に鎌の刃をつき立て殺す場面では、光子が自分は他の生徒のようにみじめに死にたくない、と大声で叫び、異様な迫力がみなぎっている。その一方、恵を殺した翌朝、光子は髪を水で洗い、何事もなかったように、平然とまつ毛の手入れをし、教師キタノが島中のマイクを通してどの生徒がリタイアしたかを読み上げる放送を聞き流している。

とはいえ、この光子は、単に戦略的で残酷な人物として、もしくは「戦闘美少女」的なデフォルメされた人物として描かれているのではなくて、最後に他の生徒から襲撃されるとき、まるで権力や体制に抵抗し、命を落とす若者たちを描いたアメリカン・ニュー・シネマの主人公のように、哀惜をもってその死が描かれていることに目を引かれる。

光子はより強力な銃器を持つある生徒に襲われ、何度も撃たれては立ち上がろうとするが、最後に「あたしただ奪う側にまわろうと思っただけよ」とつぶやき、息絶える。『バトル』の再編集版『バトル・ロワイアル　特別篇』（2001年）では、光子が幼少期に母親が連れてきた男（諏訪《すわ》太朗）から性的虐待を受けそうになる過去の場面が追加されているが、通常版ではとくに光子の凶行の背景は描かれていない。ともかく、このキャラクターは、何らかの点で「奪われる側」であった人物として登場しているわけで、「奪われる＝みじめに死ぬ」側でいたくないというフラストレーションを強く持ち、だったら自分は「奪う側」に回ってやろうと、その激情をバネに他の生徒を殺していく、そのようなキャラクターだと受け取れる。

なぜ『バトル』では、「後ろ向き」な姿勢を担う川田以外にも、この光子のような人物が異彩を放って見えるのだろうか。

11　フラストレーションが抵抗に変わるとき

柴咲コウの存在感は、深作の他の映画に出てくるときの松方弘樹をどこか連想させる。

そもそも、深作欣二の他の映画を見ていると、光子と似た要素を持つキャラクターが頻繁に登場する。どんな人物類型かというと、作品によって多少の違いはあるが、大雑把に言って、副主人公として描かれることが多く、主人公より一種、先鋭的な感覚を持つ人物で、危ういところや生き急いでいるかのような側面を持つ人物だ。深作映画のこういったキャラクターを「先鋭的な副主人公」と呼んでみたい。

「先鋭的な副主人公」は、これまで見てきた深作の「サヴァイヴ」のテーマの中では、川田の人物類型に見られた「時代に置いていかれた人物」としての主人公と同じように、より金や権力を持つ年長者に利用される、つまり「奪われる側」の人物なのだけれど、そこから生じるフラストレーションを主人公より強く持っていて、それをバネに年長者たちに反逆しようとしたり、より強大な相手と戦ったりして、結局主人公より先に命を落とす。

このような人物は、先述の『仁義なき戦い』1作目の坂井、『県警対組織暴力』の広谷など70年代の作品から、80年代以降も『道頓堀川』の佐藤浩市《こういち》が演じた武内政夫（この人物は死なないが）など、時期を問わず深作の映画に登場する人物類型だ。

「先鋭的な副主人公」は、主人公やまわりの人間には手に負えない部分のある、狂犬的な要素を持ち、ある面ではひとつの「悪」とさえ言える人物だ。しかし深作は、それを「悪」であることは変わらないけれど、金や権力を握る年長者たち、「奪う側」の人々の「悪」とは違い、彼らに搾取される若者たち、「奪われる側」がそこを抜け出すために「奪う側」に回ろうとするときに出てくるもの、「奪われる側」のフラストレーションから生まれる「悪」として、同情的に描いているように思える。

ここで、深作作品には、光子のような「先鋭的な副主人公」と同じ要素を持ちながら、そのキャラクターが主役になってしまう場合もあることに目を向けたい。

例えば松方弘樹が主演する『恐喝こそわが人生』（1968年）の主人公村木駿《しゅん》や、同じく松方主演による『北陸代理戦争』（1977年）の主人公川田登などにそのような側面が見られる。

『恐喝こそわが人生』の村木は、新宿のチンピラで同世代の仲間たちと恐喝屋をやり、政界の大物や有名な高利貸しを相手に恐喝し、最後は殺し屋に有楽町の路上で刺され、死んでしまう。ラストは「馬鹿にしやがって〜〜」という松方の恨みの独白が響き渡り、インパクトがある。この主人公は、恐喝というチンピラなりの手法をもって大物に挑もうとする、独特な気概を持ち、その姿は川面に浮かぶドブネズミの死骸に重ねられている。

『北陸代理戦争』の川田は、北陸の地元ヤクザ富安組の若頭で、組長に反逆するだけでなく、大勢力を持つ大阪のヤクザに対し、「勝てないまでも、刺し違えることはできる」「虫けらにも五分の意地」と言い放ち、北陸の地元ヤクザのしぶとさが描かれる。

「奪われる者」の強情さ

こうした主人公たちは、より強く、権力を持つ相手に対し、「窮鼠《きゅうそ》猫を嚙《か》む」という場合のネズミのように、「おれをいじめると痛いぞ」と言い、劣勢であることからくるフラストレーションの鋭さを懐刀のように抱えつつ、抵抗を試みている。

彼らの姿は、「奪われる側」のフラストレーションを抱える人物が、「奪う側」に回ろうとするのではなく、その激情を「奪う側」の大人たちに対して刃として向けるとき、それはただ「奪う側」に回ろうとするのとは違う、ひとつの抵抗になりうるのかもしれないという、可能性を示しているとぼくには感じられた。

山根貞男が深作に聞いたインタビューで、チェルノブイリ原発事故後に周囲の土地から一度追い出された農民たちがまた戻ってきて、放射能汚染区域となった自分の土地に居着いていることに興味をひかれたと深作が話していることに目がとまった。深作によれば、その農民たちは、周辺で「サマショール（強情な人々）」と呼ばれているという（サマショールを「自主帰還者」と訳すこともあるらしい）。

深作の言い方にならってみると、『恐喝こそわが人生』『北陸代理戦争』に見られる抵抗とは、「奪われる側」であることからくるフラストレーションをさらに一歩前向きなものとして捉え直した、「強情さ」を基礎に据えた抵抗と呼べるんじゃないかと思った。光子の示す「奪われる側」のフラストレーションが、「奪う側」に向けられたとき、それは「強情な者たちの抵抗」と言えるものに変わるのかもしれない。

12　遺骨にやどる熱

２０１８年、スペインにいる間、ぼくはよく戦争中に青少年期を過ごした日本の著作家の本を読んでいた。

堀田善衛《よしえ》、小田実《まこと》、鶴見俊輔、野坂昭如《あきゆき》……。何の気なしに、時間はいっぱいあるだろうから、読んだことのない本をこの機に読もう、とスーツケースに文庫本を入れ、日本から持ってきていたのだ。

で、読んでみると、意外にもしっくりくるものがあった。「しっくり」というのは、ぼくはいまの日本のいろいろな問題にうんざりして、全然生活スタイルの違うスペインへ行ってみたわけだが、ぼくが嫌だった日本の問題の根っこが何なのか、堀田や小田のような上の世代の人たちの文章から教えられる面があったからだ。

日本のいまの問題は、ここ20年、30年のことではなくて、もっと以前からの視点を持たないと、うまく捉えられないだろうという気がした。

ぼくがスペインから帰ってきて、深作欣二の『バトル』をもう一度見たい、と思ったこともこれと通じるところがある。戦後復員兵の若者たちがヤクザになる姿を描いた『仁義なき戦い』の深作欣二が、「校内暴力」や「不登校」のテーマとも重なる『バトル』を撮ったことは、上の世代が見た日本のおかしさと下の世代が直面した日本の諸問題とをつなげて捉える視点を与えてくれるように思った。

ひとつには、「サヴァイヴ」は必ずしも新しい状況ではなく、日本に以前から存在した状況なんじゃないか、という点。

これは、たまたま自分の生きている時代は悪くなってしまった、とりあえずはこの当面の苦境を自分の力で乗り越えないと、と問題を個人の枠に狭めて考えるのではなく、「サヴァイヴ」を長い間続いてきた問題として、歴史や社会構造といった別の側面から考えるきっかけを与えてくれるんじゃないか。

もうひとつは、最初にふれた「サヴァイヴ」の問題点とつながるのだが、いまの社会で肩身の狭い思いをしている人たちが競争の勝者に憧れたり、自分もそちら側に立つために、「奪う側」に回ろうとしてしまったりする場合、どうすればその人は「奪う側」に抵抗することができるようになるのか、についてヒントを与えてくれる面があるということ。

深作の「強情な」キャラクターたちに目を向けると、「奪われる側＝みじめな側」ではいたくない、と感じ、そこにフラストレーションが発生すること、そのこと自体はそれはそれとして認めてもいいんじゃないかという視点があった。そのフラストレーションを自分以外の「奪われる側」に向けるのでなく、「奪う側」にぶつけることで抵抗が生まれる、という視点が見られた。

生き残らなかった者たちの可能性

最後に3つめ、これが一番重要な点だと思う。『バトル』では、死んでいく者たちの表情や言葉、「限定された生」、そういった要素に目を向ける視線があった。

この映画には、日本の戦後というこれまでの時代の中で「不適応」とされた人物たち、もしくは、戦後という時代につぶされていったいろいろな可能性、そうした者たちへの鎮魂歌としての側面があると同時に、じつはそのようなつぶされた可能性たちは、まだどこかに散らばってかすかに呼吸を続けているんじゃないか、という「サヴァイヴのその後」に目を向ける視点があるような気がした。

「サヴァイヴ」とは、最初に説明したように、普通は、その競争で敗れた者たちは死んで終わり、だから死なないように生き残ろう、という発想だと思うが、ぼくは『バトル』を見るうちに、じつはそうじゃないんじゃないか、と思えてきた。

「サヴァイヴ」で敗れ、「死んだ」人たちの表情や言葉、最期の瞬間に見せた生の感覚は、本人たちが「死んだ」ことになった後も、どこかに燃え残っている、という感触がある。

だからこそ、『バトル』の川田のような深作映画のキャラクターたちは、その「燃え残り」を探そうとするんじゃないか。

そう考えたとき、ぼくはシリーズ3作目『仁義なき戦い　代理戦争』（1973年）の最後の場面が頭に浮かんだ。この映画の終盤、主人公広能の弟分である若い青年倉元猛《たけし》（渡瀬恒彦）が兄貴分にだまされ、敵の返り討ちにあって命を落とす。その葬式で広能が倉元の骨壺《こつつぼ》を運んでいるとき敵から襲撃を受け、路上に遺骨が散らばってしまう。組員たちが骨を拾おうとすると、その骨にはまだものすごい熱がこもっていてさわれない。広能は、熱がくすぶる遺骨をこぶしでぎゅっと握りしめ、苦々しい表情を浮かべる。

『バトル』の「サヴァイヴ」観から見えるのは、この倉元の遺骨にくすぶっている熱の感覚のようなものだ。「サヴァイヴ」で敗れ、死んだことにされた者たちは、どこか死にきっていない。そこにはまだ「サヴァイヴ」の構造そのものへ刃を向ける、生き残らなかった者たちの持つ可能性がねむっているんじゃないか、そういう直感がぼくにはある。

――では、これまでの「サヴァイヴ」的な考え方の中で排除され、「死んだ」ことにされた者たちは、その後どうなったのか、それらのつぶされたさまざまな可能性は、いまの社会でどのように「燃え残っている」と言えるのか。ぼくはこうしたことを掘り下げる中で、「サヴァイヴ」に正面からぶつかる別のものの考え方として、「生き直す」という言い方が出てくるんじゃないか、といま思っている。

本文中でふれた深作欣二監督作品（時系列順）

『博徒解散式』（1968年）
『恐喝こそわが人生』（1968年）
『仁義なき戦い』（1973年）
『仁義なき戦い　広島死闘篇』（1973年）
『仁義なき戦い　代理戦争』（1973年）
『仁義なき戦い　完結篇』（1974年）
『県警対組織暴力』（1975年）
『北陸代理戦争』（1977年）
『柳生一族の陰謀』（1978年）
『赤穂城断絶』（1978年）
『道頓堀川』（1982年）
『蒲田行進曲』（1982年）
『忠臣蔵外伝　四谷怪談』（1994年）
『バトル・ロワイアル』（2000年）
『バトル・ロワイアル　特別篇』（2001年）
『バトル・ロワイアルⅡ【鎮魂歌《レクイエム》】』（2003年、監督：深作欣二、深作健太）

第3章　ちゃんと「おりる」思想

日本の巷《ちまた》では、どうやって生き残るか、もしくは、いかにこの社会の表舞台から振り落とされないように努力し続けるか、そんなことばかりが言われている気がする。

けれどぼくは、「生き残る」より、むしろどう「おりる」かの方が重要だと思う。

別に、達観して仙人にでもなろう、と言いたいわけではなく、人がこの社会で自分のペースを大事にし、無理なく生きていくために必要な要素として、いま「生き残る＝競争の中で自分をどう活《い》かすか」とは真逆の考え方が浮かび上がってきている、と言いたいのだ。

「でも、いまは厳しい時代なのだから、『いかに生き残るか』を考えることが何より重要だ」と感じる人がいるかもしれない。しかし、ぼくは、「生き残る」という考え方には重大な欠陥があると思っているし、そうした考え方の限界を知り、それ以外の道を模索し、自分なりの生き方を実践している人たちがいることを知っている。

この章では、ぼくがこの10年ほどの間に読んできた、何人かの日本の書き手による本を取り上げ、いま水面下であらわれてきている、競争主義とは対立する、もうひとつの思考について考えたい。

ぼくがこんなことを頭に思い浮かべるようになったのは、大体この10年ほどのことだ。2012年に大学を卒業してからいまに至るまで、ぼくはほとんどの期間を東京の実家で暮らしてきた。普段は塾講師のアルバイトなどをしていたのだが、自分の気持ちはつねに「ひきこもり」に近いようなものがあり、社会の中で漂流している感覚があった。

そういう感覚は、2008年に大学に入ったときから始まった。大学に入ってすぐ、授業にも、教員にも、学生にも違和感を持ち、大学2年のときに学校へ行くのが嫌になり、以後「不登校」になってしまったのである。

いまにして思うと、ぼくは日本の社会の空気を「大学」という空間を通して感じ取っていたのだと思う。当時大学では、建築史的にも意義のある美しい古い校舎が取り壊されたり、学生会館やラウンジなど学生が自由に使えたスペースへの管理が強くなったり、教員は激務で疲れ果てている人が多く見られたりした。そうしたあれこれは、その後の東京各地で行われている、昭和の焼き直しのような再開発ラッシュや、ジェントリフィケーションと呼ばれる現象、日本社会の過重労働の問題などと重なって見えるところがあった。

ぼくは、前に別の文章でも書いたが、そうした大学への違和感に加え、日本で「普通」とされる「就職して働く」生き方もどうも自分はできそうにないと思っていた。だから、この10年ほどの年月は、ぼくにとってとても普通とは思えない、この社会の「普通」以外の生き方やものの考え方はないのか、とつねに模索する日々だった。

「しんどい」人のためのブックガイド

前章では、そうした自分が感じた社会への違和感を「サヴァイヴ／生き残り」という競争主義の点から考えてみたが、この10年ほどの時間の中で、ひとつ気がついたのは、いまは、競争主義的な考え方が力を持つ一方で、それとはまったく逆の考え方が出てきている、ということだった。

そのことをぼくは、実家で暮らしながら本や漫画を読んだり、映画を見たり、また時には遠いところへ足を運び面白いことをしている人たちと出会ったりして、徐々に考えるようになった。とくに、ぼくよりいくぶん年上の、何人かの日本の著作家の本には、いま日本で普通とされる生き方や競争主義とは違う、自分なりの生き方を考え、実践する内容のものがあり、大きな刺激を受けた。

それらの本は、学者とか評論家によるものではなく、ひきこもりの当事者や、作家を辞めて実家へ戻った人、小商い的な生活をしている人など、バラバラの個人によって書かれている。ぼくにとっては、こうした人たちが書いた文章は、山登りのルートに誰かが設置しておいてくれたロープやベンチのようなものと感じられ、無駄にしんどい世の中で遭難したり、自分をすり減らしたりする生活をしないための助けになる内容だと思えた。

これらの本を通していまの社会で競争主義とはまったく違った考え方が出てきていること、それがどんな中身を持ったものなのかを考えてみたい。

これらの本には、いまの日本のしんどさに直面した個人が、この社会でどう生きるかを自分なりのやり方で考え抜いた、ひとつの「思想」とさえ呼べる内容が含まれていると感じる。いまの社会に何かしら「しんどい」感覚を覚えている人には、そういう状況から脱するためのブックガイドとして読んでもらえたらと思っているし、思想や評論などに興味がある人には、いわゆる思想家、哲学者とは違う分野で面白い考えを展開している人たちがいることに目を向ける契機にしてもらえたらと思う。

1　地に足をつける、とは何か——勝山実『安心ひきこもりライフ』

この10年ほどを実家で暮らしながら、よく考えたのは、自分のいまの立場は何なのか、ということだった。フリーランス、非正規雇用、フリーター、はたまたニート……？　どういうわけかぼくの中で、完全にではないが一番しっくりくる言葉は「ひきこもり」だった。ぼくは本格的（？）に自分の部屋にだけこもった経験はないのだが、自分の中のいまの社会への違和感や抵抗感、家で過ごすときの落ち着き加減などを考えると、その言葉がまだしも合っているように思えるのである。

「ひきこもり」について厚生労働省は、「仕事や学校に行かず、かつ家族以外の人との交流をほとんどせずに、6か月以上続けて自宅にひきこもっている状態」という定義を出している。けれどぼく自身、いくつかのひきこもりの当事者会に行った経験からすると、「ひきこもり」といっても、厚労省の定義などにとどまらない、いろいろなグラデーションがあり、人によって年齢も背景も違い、個人の中でも時期によって変化が起きるものだと感じる。だから、ここで言う「ひきこもり」は、いまの社会の働き方や人間関係に違和感があり、家にこもりがちな人、というくらいのざっくりした枠だと思ってもらいたい。

さて、話の出発点として取り上げたいのは、勝山実の『安心ひきこもりライフ』（太田出版、２０１１年）という本だ。

これは高校2年生で不登校になり、以来現在まで30年以上ひきこもり生活を続け、いまは「ひきこもり名人」として知られる著者が書いたものである。ひきこもりになったばかりの若者から中年になってしまった層まで、幅広い世代のひきこもりたちに向け、就労したりして社会に適応する生き方ではなく、ひきこもりの本質を大事にして、自分なりに生きる、という別の道を提示した、（ひきこもり界的には）革命的な一冊として知られている。

この本は、ひきこもりという存在を通して、いま社会の水面下で競争主義とは違った考え方が出てきていることを教えてくれる一冊だと思う。

勝山実は、１９７１年生まれで、高校を中退したのちに大学受験に失敗し、20代のときに精神科へ行くといった過程を経る中で、ひきこもりの生活を送り始めた人だ。いまは「ひきこもり名人」として、講演や執筆だけでなく、家庭菜園をしたり、和歌山の奥地で自分用の小屋を作ったりするなど、独自のペースで活動している。

勝山の「ひきこもり土着主義」

最初にこの本を読んで印象に残ったのは、勝山が世間でよく言われる〝地に足をつける〟とか〝自立する〟とは全然違った発想で、ひきこもりなりの、真に地に足をつけて生きる方法を模索していることだった。

例えば、勝山は「ひきこもり土着主義」（実家主義）という考え方を出していて、ひきこもりが実家で暮らすことを肯定する。ひきこもりは現金収入が少なく、ひとり暮らしに挑戦しても、心身共に疲弊し、結局実家に戻ってきてしまう。さらに、ひきこもりは人とのつながりがなくなり、人間関係の点から見ればすでに「ひとり暮らし」に近い状態で実家に暮らしているのだから、無理に家を出て自立しようとすることはない、という考え方だ。

ぼく自身、稼げるようになって自立しないと、という焦りがある時期まではあったが、勝山の本を読んでからは、自分が生活していくために実家暮らしこそ必要なのだ、と捉えることができるようになり、非常に助けられた実感がある。とはいえ、最初この本を読んだときは、勝山の発想が、世間で言う〝自立〟とは全然違うのに、妙に地に足がついていると感じられることが不思議だった。こうした人の本を読んだりする中で、世間で言われている「成長」や「競争」の考え方が、本当の意味で現実を踏まえたものと言えるのだろうか、という疑問が深まっていった。

2　大変なことになった、その後を見据える

いま10年が経ち、もう一度この『安心ひきこもりライフ』を読み直して、ぼくの目にとまるのは、例えば次のような箇所だ。

勝山は『安心ひきこもりライフ』のⅡ章で中年のひきこもりに向け、ひきこもりが持ちがちな、ある恐怖に言及する。それは、「仕事をしなければいけない。さもなくば、餓死する、ホームレスになる」という漠然とした恐怖についてである。

このような「○○しないと大変なことになる」という恐怖は、ぼくには、ひきこもり当事者だけでなく、その家族やひきこもりの支援者までもが持ちがちなものであると感じられるが、これに対して勝山は、その恐怖は実体がないものだと否定し、ひきこもりの読者に向け、むしろひきこもりはすでに「大変なこと」になった後の状態なのだと訴える。

（…）あなたは「大変なこと」をすでに乗り越えているのです。普通の人はここまで

堕ちることができません。（…）手遅れは手遅れでしかない。（…）ひきこもり中年男子であるなら、もう間に合わないのです。あなたは働かないと大変なことになった、あとの状態なのです。

（『安心ひきこもりライフ』88頁）

ぼくは、このひきこもり当事者は「大変なことになった、あとの状態」なのだという表現に大事な要素があると思った。いま世の中で力を持っている競争主義的な考え方とは、いわば「○○しないと大変なことになる」というその「大変なことになる」という地点を一種の脅しの根拠にして、多くの人を競争に駆り立てる考え方である。一方ひきこもりはすでに「大変なこと」を乗り越えている、という捉え方は、その脅しの機能を骨抜きにできるのではないだろうか。

勝山がこの本で提示する、ひきこもりの新しい生き方「安心ひきこもりライフ」は、ひきこもりを経験した人たちに向け、社会のレールから転げ落ちた後に無理に（就労などをして）元のレールに戻ろうとするのではなく、社会の外側に落ちてもやっていける道がある、いわば「大変なこと」の「その後」を見据えて考えていこう、という発想を示している。ここには、その社会で生き残れなくても、ちゃんと自分なりの別の生き方はできるはずだという確信があるように見える。

勝山は、「働かないのに死なないひきこもりは、格差社会を支配している『働かないと死ぬしかない』という恐怖をやわらげるでしょう」と言っているが、この地点から競争主義＝サヴァイヴの考え方を振り返ると、「○○しないと大変なことになる」式の、サヴァイヴ的な発想は、じつは、ある種のハッタリでしかないというか、根拠のない恐怖に支えられた思考という側面が見えてくるんじゃないか。

ぼくが勝山の本から受け取ったのは、じつは競争の世界から見たら、とっくに「死んでいる」、ドロップアウトしているとみなされる、ひきこもりのような人たちが自分なりに生きようとすることの中に、なぜか競争主義を足元から揺るがす要素があるんじゃないか、ということだった。

3 レールからおりて、自分の人生をあゆむ――道草晴子『みちくさ日記』

勝山の本から垣間見える、競争主義を足元から崩す考え方とは、一体何なのだろう。

ここで、ひきこもりではないが、精神医療・福祉の現場を転々とした経験を描く、ある漫画家の作品を通して、考察を続けてみたい。その漫画とは、漫画家の道草晴子が自身の半生を描いた『みちくさ日記』（リイド社、２０１５年）という作品だ。この作品にも、いわば「大変なことになった、あとの状態」をどう生きるか、という問題意識が共有されていると思える。

『みちくさ日記』は、自伝的な内容の作品で、道草晴子（１９８３年生まれ）が13歳のときにちばてつや賞ヤング部門に応募し、優秀新人賞を受賞するも、14歳で精神的不調に陥ったことから精神科病院に入院し、以後「障がい者の社会ふっき」というレールに沿ってさまざまな医療・福祉関係施設を転々とする経緯が４コマ形式で描かれる。

ぼく自身、大学不登校になってから、精神科や先にふれたひきこもりの当事者会、ピアサポートなどさまざまな場所へ足を運んだ時期があったのだが、この漫画では、主人公ハルコがさまざまな医療・福祉施設に足を踏み入れては、どこかズレた認知行動療法や職業訓練を受けさせられる描写があり、ぼく自身の経験とも重なった。『みちくさ日記』では、社会や行政が提供してくる障害者支援へ疑問が投げかけられていると思え、初めて読んだときは共感するところが非常に多かった。

勝山の『安心ひきこもりライフ』では、ひきこもりは行政などが提供する就労支援の道ではなく、ひきこもりなりの本質を大事にした生き方ができるんじゃないか、ということが書かれていたが、この『みちくさ日記』では、ハルコが「障がい者の社会ふっき」というレールからおりて、自分の人生を歩みだすというまさに同じことが書かれている。

一応ことわっておくと、ぼく自身は、就労支援や職業体験が人によっては役立ち、日々の気持ちを支えるものになりうる、とは思っている。しかし、その一方で思うのは、いまはひきこもりや障害の当事者の方ばかりが社会に適応することを要求され、それが一種のプレッシャーになる状態が生じているということだ。ぼくは、勝山や道草が示す考え方は、そうした問題に取り組むものとして、大きな意義があると思う。

一度死んで、生き直す

『みちくさ日記』でハルコは、デイケアや作業所を転々としながら29歳のときに、かつて病院で診断された統合失調症が誤診だったことを知り、大きなショックを受ける。今度は心理検査で発達障害と診断され、その後またデイケアに通い、輪投げなどの子ども向けのような作業療法をさせられたりする中で、「健常者とか　障がい者とか、もうつかれたなあ」と思うようになる。

この後、いくつかの出来事を経て、ハルコの考えに変化が起こる。ハルコがデイケアのある病院の中庭で寝ていると、ふと次のような考えがやってくる。

人生おわってしまったと思って　生きてきた
空を見上げて　青い空と白いくもがひろがり
すごく　きれいだった
「もしかして　もうなにも失うものないんじゃないかな？」と思った

（『みちくさ日記』114頁）

このとき、ハルコは「急に元気がわいて」きて、

守るべきものも　もう何も　ないな
と思ったら　生きるゆうきがわいてきて
「デイケアじゃなくて　どこか学校とか行ってみようかな」と思った

（…）

障がい者の社会ふっきという　レールじゃなく
自分の人生を　生きたいなあ
（同前、115頁）

と感じるようになったと描かれる。その後ハルコは、デッサン教室に通いだしたり、カレー屋でアルバイトしたりするようになるのだ。

『みちくさ日記』のこのハルコの考えの変化にも、「人生おわってしまった」その後に「自分の人生」が存在していることが見出されている点で、ぼくには勝山の『安心ひきこもりライフ』と重なるものがあると思えた。

勝山と道草が書いていることからは、ひきこもりや、精神障害を診断された人たちが、「ひきこもりの就労支援」や「障害者の社会復帰」といった、社会から提示されるレールに適応する方法ではなく、自分の人生を自分の本質に根差した形で生きるという転換が行われているように見える。

ぼくは、ここに競争主義とは違う、新しいものの考え方の〝基本の形〟が見えてくる気がする。

いまの世の中では「〇〇しないと大変なことになる」「生き残れないぞ」的な発想が当

然視されているように思うが、ぼくはこのふたりの本を読むと、「なんだ死んでないじゃないか」と思える。競争の世界から見ると、あたかも「負けて死んだ」ように思える人たちが、じつはちゃんと生き延びていて、それどころか自分なりの生き方を見出している。勝山と道草の本からは、そのような社会的な「死」、競争での敗北を経験した人たちが、その「死後」もう一度、今度は自分なりの方法で「生き直そう」とする、新しい姿勢があらわれていると思う。

こうした、いまあらわれてきている考え方は、一言で言うと、「一度死んで、生き直す」発想だと言えるんじゃないか。「サヴァイヴ／生き残る」という発想の一方に、「生き直す」という別の考え方が出現し、真っ向からぶつかるものになってきている。ぼくの頭の中には、このようなふたつのものの考え方がぶつかり合う構図が浮かんでくるのだ。

4　なぜ「生き直す」は「生き残る」と対立するのか
——豊島ミホ『大きらいなやつがいる君のためのリベンジマニュアル』

では、いまの社会で「生き直す」という考え方が水面下であらわれてきているとして、それはどんな点で「生き残る」と違い、対立すると言えるのだろう。

ぼくは、この10年の中でもうひとり、自分の人生の経験から勝山や道草と似た考え方を見出している人の本を読んだことがある。

それは、元作家の豊島《とし》ミホによる『大きらいなやつがいる君のためのリベンジマニュアル』（岩波ジュニア新書、2015年）だ。

この本を読むと、勝山と道草の本から見えた「生き直す」という発想が、「社会的な『死』を経験した、その後」を見据えている点で「生き残る」発想と違っている、ということに加えて、もうひとつ別の点からも対立する要素があるんじゃないか、と思えた。ここからは、豊島の本を通して、「生き直す」が「生き残る」と異なる、もうひとつの点についで考えてみたい。

豊島ミホ（1982年生まれ）は、2002年から2009年まで作家として活動した人物で、青春小説を多く書いたことで知られている。豊島は、大学在学中に短編「青空チェリー」で「女による女のためのR-18文学賞」の読者賞を受賞したことから作家活動を始め、2009年に作家を辞め、その後2015年にこの『大きらいなやつがいる君のためのリベンジマニュアル』（以下『リベンジマニュアル』）を刊行した。他の著作には、映画化された小説『檸檬《れもん》のころ』（2005年）やエッセイ『底辺女子高生』（2006年）などがある。

『リベンジマニュアル』は、主に若い読者へ向けた内容で、豊島が自身の高校時代にクラスメイトとの人間関係などで傷つけられ、「憎しみ」を長い間引きずってしまった経験について書かれている。豊島は、高校時代の経験が原因で、作家として仕事を始めてからも一種の勝ち負け主義的な考えを持ってしまう。この本は彼女がどうやってそういう考え方の限界を知り、別の生き方を模索するようになったかを振り返る内容になっている。

ぼくは大学生の頃、豊島の小説をいくつか読み、不器用な若者の青春を描く作風に非常に好感を持っていたのだが、それから数年後この本を読んだところ、豊島がかつて自分が競争的な考え方を持っていたと告白する内容が書かれており、驚いた。また、そうした考え方と決別しようとする中で「作家を辞める」という大きな決断を下したことが書かれていて、いまの時代に物書きの仕事をする、ということについても考えさせられる、印象深い一冊だった。この本で語られていることは、学校教育や学校における人間関係のテーマだけでなく、いまの若い人の生き方やフリーランスの仕事をめぐる一種の切迫感、といったことまで考えさせる。

『リベンジマニュアル』という物騒なタイトルがつけられているが、もちろん著者は暴力による復讐は否定しており、題名の「リベンジ」とは、いじめなどで不当に傷つけられた側が「やり返したい」と思うことそれ自体は否定されるべきではない、という豊島の考えから出てきている言葉だと思える。豊島は、この本の中で、いまの学校教育では傷つけられた子どもが周囲の大人から「気にするな」と、一方的に環境への適応を求められがちであることについて問題提起しており、そういった認識を踏まえたタイトルになっている。

5　弱者が抱える競争主義

この本では、豊島が自分の持ってしまった勝ち負け主義を「相手ルール」と「自分ルール」というふたつの言葉を使って分析しており、ぼくには、この分析の仕方が「生き直す」と「生き残る」がどのような点で違っているかを考える手がかりになると思える。

ひとまず、『リベンジマニュアル』で書かれる、豊島が持ってしまった勝ち負け主義がどんなものだったのかを確認しておきたい。豊島は高校2年生のときに新しいクラスで孤立してしまい、次第にスクールカーストと呼ばれる生徒間のクラス内格差の影響で他の生徒から理不尽な扱いを受けるようになり、教室に通えず保健室登校を始める。さらに、学校側から黙って教室に来ること、「環境への適応」を求められ、「お前が弱いのが悪い」と言われているような意識を持つようになり、自信を失ってしまったという。

こうした経緯で、高校時代の豊島は次のように考えるようになる。

つまりすべてはスペックの問題。私がスペック低いのは事実で、蔑まれるのは仕方ない。嫌ならスペック上げろ。それも嫌ならいつまでも泣いてろ。

……というのが、大人たちの「気にするな」を受けて、高校生の私が導き出した結論でした。

(『リベンジマニュアル』27頁)

ここで言われているのは、「弱いのが悪い」、それが世の中なのだから、スペック、つまり自分の性能＝能力を上げるしかない、という考え方だ。ぼくがこれを読んで気づかされたのは、人が競争的な思考を持つとき、それは、必ずしも元から強者の立場にある人物が持つ弱肉強食の価値観ではなく、豊島のように、学校空間で不当に傷つけられ、その上周囲の大人から見捨てられた状態の若者がやむを得ず持つようになる価値観であったりもする、ということだった。豊島個人の経験にすぎないと言ってしまえばそれまでなのだが、ぼくには、このあたりに、サヴァイヴの問題を考える手がかりがあると思えた。

自分を偽る、擬態

豊島のこうした勝ち負け主義は、大学在学中に作家としてデビューしてからも続き、その執筆姿勢に影響を及ぼしたと書かれている。それは、どんな形でかというと、彼女は、1冊目の本が売れず、それ以降は自分のしたいことを封印し、まずは「業界的正解」を目指すようになったのだという。

「業界的正解」を目指すとは何かというと、豊島は当初漫画を読んでいるような若い読者のために小説を書こうとしていたのだが、それでは売れなかったため、まずは小説を読んでいる層に売れるものにしなければいけない、と考えを変えたということだ。具体的には小説の雑誌を大量に読み、「小説として浮かない文体」を身につけるなど、自分自身で「擬態」と呼ぶテクニックを駆使して大学卒業までに4冊の本を出版した。豊島にとっては自分を偽っている状態であり、「自分を否定してくる人間は全員敵。それに勝たないと気が済まない」という思考が強化されていったと振り返っている。

つまり、豊島が持ってしまった勝ち負け主義とは、ただ単に敵に勝てばいい、というスタイルではなく、どういうわけか「業界的正解を目指す」とか、「擬態する」「自分を偽る」といったことと結びつくものだった。

ともかく、豊島はその後、いくつかの重要な出来事を経る中で、精神的な危機とも言いうる状況を体験し、本人の言葉で言うところの「一度『死ぬ』こと」を通して、最終的に作家を「辞め」、故郷の実家に帰ることを決断している。

6 「相手ルール」から「自分ルール」へ

注目したいのは、豊島がこのようなかつての自分が持っていた考え方を、「相手ルールで生きる」姿勢だったと振り返っていることだ。

豊島は、この時期の自分は「まずは相手ルールで勝つ」以外の方法を見つけることができなかったのだと考える。「相手ルールで勝つ」とは、自分が「本当にやりたいこと」をいつか通すために、「先に『他人の価値観という枠の中で、自分の価値を上げる』」というアプローチのことだ。これはつまり、豊島の作家業でいうと、1冊目の小説が売れなかったため、自分のしたいことを封印し、まず「今、小説を読んでいる層」という他人の価値観で認められ、「勝者」になってから自分のしたいことをやろう、という理屈だ。

豊島はこの本の中で、そうしたかつての自分の考えの中にあった危うさについて書くのだが、それをぼくなりにかみくだくと、相手ルールで生きる、という発想は、相手ルールで認められ、「勝者」になってから、後で自分のしたいこと＝自分ルールに切り替える、という一見うまくいきそうなアイデアに見えるが、じつは、まず相手ルールを優先させてしまう過程で、本来大事にしようとしていた自分ルールを抑圧することになる、矛盾が潜在する考え方である、ということだと思う。

豊島の文章で印象に残ったのは、豊島が「相手ルールで生きる」考え方の根底に一種のマッチョな部分が潜んでいることに気がついている、ということだった。豊島は、本の後半の第5章で、高校時代の経験をいま一度、今度は「自分ルール」で再解釈した上で、こう呼びかけている。

不当に傷つけられた時に、「でもこれこそが、世の中である」と思う必要はまったくないのです。

それを採用するならば、自分が強者に回った時に、弱者に何をしてもいいことになるから。私がしたように、すべての人間関係を勝ち負けで見てしまうようになるからです。

（同前、153〜154頁）

ここで、豊島の言う、不当に傷つけられたときに「これこそが、世の中」という発想を受け入れることとは、高校時代に他の生徒から不当な扱いを受け、傷つけられたのに、そのことに怒りきれなかった自分自身について言っている部分なのだが、これは、1冊目の本が売れなかったときに自分のしたいこと（自分ルール）を封印し、相手ルールで生きることに切り替えてしまった行動とも重なり合っている。

豊島自身は、このような姿勢で作家業を続ける中で、いつまでも「主導権」が自分のもとにくるように思えず、まわりの人たちのことも信用できず、精神的危機を迎えたわけだが、ぼくが豊島の文章を読んで思ったのは、いまの世の中に広がる競争主義＝サヴァイヴ的な考え方は、「相手ルールで生きる」という、一見スマートで、理想的な装いをしながら多くの人に無意識に広がっているのかもしれない、ということだった。

競争主義との葛藤の末に

豊島は作家を辞めた後、ふたつのことを守って生きようと決めたと書いている。ひとつは、「『誰かのルール』に乗っからないこと」。もうひとつは、「自分がやりたいことを素直に、それからもう少し根気強くやること」だという。その結果、豊島は田舎の実家に戻り、かつて夢見ていた漫画家になることを再び目指す。豊島が見せるこの転換も、先に見てきた勝山や道草の姿勢と通じるものがある。

『リベンジマニュアル』からぼくが考えるのは、いまのサヴァイヴには、単なる分かりやすい競争主義としてではなく、「他人や社会の価値観で認められる」という、一見普通っぽい体裁を取って広がっている側面があり、しかしその根底には自分のペースや自分が素朴にやりたいことを抑圧する、一種の「内なるマッチョさ」がある。だからこそ、勝山や道草の本で見られた、自分なりの方法で生きること、豊島でいえば「自分ルール」で生きることこそが、そうした隠れたサヴァイヴ思考を乗り越えることになるんじゃないか、ということだ。

豊島の本は、勝山や道草と違い、競争主義との葛藤に比重が置かれ、苦闘の末になんとかそれ以外の道を見つけ出した、という点に力が込められた一冊である。そのような内容だからこそ、「生き直す」発想が相手ルールから自分ルールへの転換になっている点で「生き残る」とは違う、という第二の相違点があることに気づかせてくれる文章だったと思う。

このふたつめの相違点までをおさえると、ようやく「生き直す」を「生き残る」に対抗する、最低限見込みのある考え方として取り上げてもいいんじゃないか、という気がしてくるのである。

7 「生き直す」の弱点に目を向ける
——伊藤洋志『ナリワイをつくる―人生を盗まれない働き方』

ここまで3人の本を通して、「生き直す」という考え方について書いてきたのだけれど、いまぼくが思うのは、この社会の「普通」以外の生き方、「生き残る」以外の考え方を模索する場合、この「生き直す」というアイデアは、最低限まともに受け取ってもいいんじゃないか、ということだ。こうした考え方を踏まえれば、個人が競争主義の仕掛けてくる心理的な脅しに惑わされることはなく、また、「他人の価値観で認められる」といった隠れたサヴァイヴ思考によって自分自身や他者を抑圧することも減るだろう、と思えるからだ。

とはいえそれでも、じつはぼくはまだ、「生き直す」考え方には弱点、もしくは危うさがないわけではない、と思っている。

最後に、では「自分ルール」や自分の本質といったものを大事にしながら生き直す、という考え方をおさえた上で具体的にいまの社会で生きていく場合に、どんな点に注意した方がいいか、ということをある書き手の本を手がかりに考えてみたい。

ここから取り上げるのは、伊藤洋志の『ナリワイをつくる―人生を盗まれない働き方』（東京書籍、2012年、以下『ナリワイをつくる』）という本だ。

これは、著者の伊藤が自分で考え出した、いろいろな種類の小さな仕事「ナリワイ」について書いた一冊である。伊藤は、日本で普通とされる「専業」の働き方に対して、生活の中から考え出す小さな仕事＝ナリワイを組み合わせて生きる、という別の働き方を提案している。この本には、ここまで考えてきた「生き直す」という発想に含まれる、少々の危うさについて気づかせ、またその弱点を補強してくれる面があると思う。

ぼくは大学を卒業する頃、この本を読み、それまで自分自身疑問を持ちつつも、理解しきれていなかった、日本の働き方の矛盾と、それに対するひとつの「解き方」が示されているように思え、考えさせられた。

「専業」と「犠牲」への疑問

この『ナリワイをつくる』は、ここまで見てきた3冊のようなヘビーな実体験が語られる類いの本ではないが、伊藤がかつて勤めていたベンチャー企業で激務を経験し、まわりにいる友人知人の働く状況なども振り返る中で感じ取った、いまの社会の過剰なしんどさに対する問題意識が出発点になっており、ぼくには、勝山や豊島と同じ問題と向き合いながら、それを「仕事」という観点から考え抜いた内容だと思えた。

伊藤洋志は、1979年生まれで、シェアスペースの運営から季節限定農家、パン焼きや床張りのワークショップ、風変わりな海外ツアーなど、さまざまな小さな仕事を作り出し、それらを組み合わせて生活している人物だ。ベンチャー企業を退職し、農文協などのフリー記者を経て、自分で小さな仕事を作り出すようになり、それらを「ナリワイ」と名付けた。他の著書に、都市と田舎を行き来する多拠点居住について書いた『フルサトをつくる─帰れば食うに困らない場所を持つ暮らし方』（phaとの共著、東京書籍、２０１４年）や『イドコロをつくる─乱世で正気を失わないための暮らし方』（東京書籍、２０２１年）がある。

この本では、日本で常識とされがちな、会社に就職してひとつの仕事をする「専業」の働き方と、「生活を犠牲にしてやるのが仕事」という認識の2点に疑問が投げかけられている。

伊藤は、大正期の国勢調査を参照したりしながら、日本では、元々その時代までは多様な種類の職業があったのだが、戦後に入ってから職種をしぼることで高度経済成長を成し遂げ、人々の働き方が変わってしまったことについてふれる。21世紀に入ってからは日本の産業は曲がり角を迎え、いまは逆に専業化による矛盾がさまざまな形であらわれてきている。伊藤は、専業化が持つ問題点を次のように語っている。

（…）一つの仕事だけをやらなければならないという考え方だと、どうしても競争が激しくなったり、一つでは生計を立てるのが難しい仕事でも、無理やり大きくしなければならず、努力の割に結果がでない。これでは苦しい。

（『ナリワイをつくる』文庫版、5頁）

このようなひとつの仕事を無理にやろうとすることから出てくる過度な競争といった問題に対して、伊藤は、生活の中から作り出す、小さな仕事を複数組み合わせて生きる、というナリワイの方法論を提示する。

具体的には、伊藤自身がモンゴルが好きでしばしば足を運んでいた経験から、モンゴルで遊牧民の生活の見習いができるツアー「モンゴル武者修行ツアー」を作り出したり、自分たちで床張り技術を習得していくワークショップを催したりするなど、ただ収入を得るだけでなく、それらをすることで自分も参加者も生活の足場をかためられ、「技」が身につくような、さまざまなタイプのナリワイを実践している。

8　苦痛になることをやらないバランス

伊藤が提案するナリワイという考え方に、ここまで見てきた「生き直す」という発想とつながるものがあると思えるのは、伊藤が、仕事と生活を切り分ける、仕事は生活を犠牲にしてやるもの、という考え方に問題があることを見抜き、それに疑問を投げかけているからだ。

伊藤は、ワークライフバランスという言葉があるように、ワーク（仕事）とライフ（生活）を分け、ワーク（仕事）のためにライフ（生活）を犠牲にするのもやむを得ないとする、いまの日本の仕事観に疑問を投げかけ、一方で「これからの仕事は、働くことと生活の充実が一致し、心身ともに健康になる仕事でなければならない」と書いている。

「生き直す」とは、社会のレールや他者の価値観に自分を無理に適応させるのではなく、自分の本質の方に軸足を置く考え方だったが、伊藤のナリワイもまた、生活からかけ離れ、激しい競争の場となっている仕事の領域＝外側の世界に自分を合わせるのではなく、生活という内側の要素に重点を置く点で、「生き直す」と似た構えを持っていると思う。

その上でこの本には、「生き直す」という考え方を持った個人が、具体的にいまの社会でどう生きていくかを考えるときに、ヒントになる要素があると思う。それは、伊藤が本の要所要所で見せている、独特なバランス感覚だ。伊藤には、社会の競争や理不尽な厳しさといったものから距離を取りつつも、一方で、自分の「好きなこと」や「夢」といったものに対しても距離を取る姿勢があり、印象に残る。

例えば、伊藤は本の第2章で、「ライフワーク」と「ライスワーク」という言葉を批判する。ライフワークとは、個人が一生をかけてする仕事を意味するが、この場合は「自分が本当にしたいこと」「理想の仕事」のようなニュアンスを持つ言葉として理解してもらいたい。一方ライスワークとは、近年作られた和製英語で、食べるため、日銭を稼ぐための仕事のことだ。両者を組み合わせて使う場合、まずライスワークで稼いで、後で理想の仕事ライフワークをやろう、というような文脈で使われる。

なぜ伊藤がこれらの言葉を批判するかというと、ライフワークとライスワークとは、仕事をふたつの領域に切り離して捉える発想であり、そのうちライスワークという「生活」に関わる部分を軽視する面があるからだと思う。伊藤は、ライスワークも日々の仕事のうちであり、日銭を得るためでしかない、と高を括《くく》ってやっていると、その感覚が自分にしみつき、結局理想の仕事ライフワークをやる感覚を鈍らせると書いている。これはぼくなりの理解だが、伊藤がここで言おうとしているのは、必ずしも理想の仕事の方がエライということではなくて、日々やっている仕事の方を「たかがこんな」と軽く捉え、一方では自分がやりたいことを生活感覚と分離させてしまうことを問題視しているのだと思う。

この他の箇所でも、伊藤は、ナリワイは単に「自分の好きなことをして自由に暮らす」

ことではないと書いているなど（文庫版、237頁）、やはり「好きなこと」や「夢」とは距離を置くバランス感覚があるのだが、これがどういう点で「生き直す」という発想を考える上で重要なものと言えるのか。

伊藤は、好きなことは、時には「思い込み」であったり、またそうでなければ「黙ってでもやってい」たりすることであるが、それよりも大事なことは「健康を失うような苦痛になることをやらないことだ」と書いている。また、「好きなことをやらなければ」という考え方で身動きが取れなくなることについても注意を促している。

ここからは、ナリワイは単に副業を推奨するような考え方ではなく、先にふれた、ワーク（仕事）のためにライフ（生活）を犠牲にしなければならない、という働き方の歪み、言い換えると生活の軽視を見据え、それへの反論を提示するところに重点があることが分かる。

「好きなこと」よりも「苦痛になることをやらない」

ぼくがこうした「好きなこと」よりも「苦痛になることをやらない」に重点を置く伊藤のバランスを重要と思うのは、「生き直す」という発想を持った人が、社会の提示するレールとは距離を置くとしても、だからといって「ただ自分のしたいことだけをすればいい」とか「夢を追うのが正解」といった考えを持つようになり、結果として専業を目指して疲弊してしまったり、自己啓発や「やりがい搾取」のようなものにからめとられたりといった、本末転倒な方向へ行かないようにするために役立つと思うからだ。

伊藤はこの本の要所要所でナリワイを「地味なやり方」とか『『ハイテンション』』ではなく、あくまでじわじわと」とか、「弱いコンセプト」といった抑えた言葉で表現しており、ナリワイと、「自己啓発的セミナー」といったものを対比させている。伊藤が「好きなこと」と距離を取るのは、言ってみればいまはその「好きなこと」の中に「ハイテンション」なもの、自己啓発的な何かが混入しやすいから、という面があるからじゃないかと思う。

この本では、ナリワイの作り方や実例などの具体的な話が書かれつつ、その根底には伊藤が持つ「苦痛になることをやらない」という、すぐれたバランス感覚があり、「生き直す」考え方を踏まえた人たちが、競争の世界と距離を取り、自分が本来大事にしていくべき要素を見失わないための判断力を補強してくれる側面がある。

ぼくは、競争的な考え方に巻き込まれないためには、伊藤の語りにあらわれている、次のような仕事に対する「力加減」が重要なものになるだろうと感じる。

私を含めた多くの人にとって「自分もやってて楽しい。世の中にも同じような志向の人がいて、自分の仕事が効果があったり面白いので喜んでもらえる。生活の糧にもなって、自分もやる気も出て仲間も増えるから続けられる」というぐらいがちょうどいいのではないか。

（同前、２３７〜２３８頁）

ぼく自身も、文章を書いたり、日々を過ごしたりする上で、ナリワイの考え方にそれとなく支えられる面があった。いま思うと、ぼくが数年前スペインに１年間滞在したことも、語学を身につけようとか、絶対移住しようとかいった目的のためではなく、スペインでならいろいろなしんどい要素がある東京よりも何か楽な気持ちで暮らせそうだ、という直感による生活に軸足を置いた選択だった。また、いまぼくは、時々記事を書いたりしているわけだが、伊藤の本を読んだことで、文章を書くことも生活の延長線上であり、自分もそこそこ楽しく、他人にも暇つぶしの材料になり、お金も最低限書いた分はもらえる、というくらいでやろう、と思えるようになった。

9　「生き直す」という考え方とその背景

ここまで考えてきた「生き直す」という考えをまとめておきたい。

「生き直す」とは、一度社会的な意味での「死」を経験した個人が、もう一度今度は自分なりの方法で生きようと試みる考え方であり、「生き残る」発想と対立する。「生き直す」について、「生き残る」と対比させつつ、その内容をまとめると次のようになる。

1、「生き直す」は、社会的な「死」を経験した後どう生きるか、を考える思考であることから、「○○しないと大変なことになる」という競争主義が仕掛ける脅しの機能を無効化する。

2、「生き残る」が「相手ルール」（他人の価値観）を優先させるのに対し、「生き直す」は「自分ルール」（自分のペースや本質）に軸足を置く。

3、ただし、「生き直す」が重視する自分のペースや本質とは、ただ単に「好きなこと」や「夢」を追いかける発想ではなく、「自分が苦痛になるようなことはしない」というバランス感覚をともなうものと考える。

このまとめに加えて、ぼくが少し考えているのは、競争主義的な「生き残る」考え方が「死んだら終わり」と、人生を「1回きり」で捉え、いかに死なないようにするかを追求する発想であるのに対して、「生き直す」は自分は一度すでに死んだことがあり、その上で今度は自分のやり方で「もう1回」生きてみる、という考え方になっており、いわば人生を「1回きり」で捉えるのか、「もう1回」で捉えるのか、そんな両者の違いがあるのかもしれない、ということだ。「生き直す」の中には、言ってみれば、人生を「2周目」で生きる感覚があり、そこから見ると「生き残る」考え方は、思考が「1周目」で固定され、「1回きりの人生」の中でひたすら不毛な競争をさせられる発想に思えてくる。

今回は、個人の中に「生き直す」発想が出てくる背景、なぜこういう考え方が出てくるのかについては、それほど考えられなかったのだが、いまよく注意して本を読んでいると、いろいろなところで、今回の話と重なる、社会や時代の「変化」が語られていることに気がつく。

例えば、坂口恭平の『現実脱出論』（講談社現代新書、2014年）という本がある。この本では、いまは、人が集団で生きるために作り上げた「現実」という枠組みが肥大化し、個人が持っている固有の知覚や思考といったものが排除されるようになってきている、と書かれている。ぼくには、坂口が言う「現実」の領域から排除される個々人の知覚や思考というものが、今回の話でいう抑圧されてしまう自分ルール（自分のペースや本質）と重なり合う部分があると思えた。

タイトルの「現実脱出」という言葉には、「これまで蓋をしたり、存在を体感しているのに現実的ではないと切り捨ててきたことを直視してみる」という意味を込めたとしており、坂口は、「現実」の肥大化の問題に対して、どう人が自らの思考や知覚を「切り接《きつ》ぎ」しないで生きていけるか、また、個々人がそうした固有の感覚を切断せずに社会形成をするにはどうしたらいいかを自分の経験から考え抜いている。

また、精神科医の青木省三《しょうぞう》が書いた『時代が締め出すこころ―精神科外来から見えること』（岩波書店、２０１１年）という本にも、今回の話と通じる指摘がある。青木は、自身の診察室を訪れる人たちの傾向や背景から、いまは時代の主流派や多数派に合わない人たちが、社会の中で孤立し、病気や障害として顕在化する、つまり破綻を来したり、医師によって過剰診断される、といったことが起きているのではないか、と考察する。

青木のもとには、長年会社員として働いてきた人や職人として生きてきた人が、実際には診断基準に合わない「発達障害」などを自分で疑い、相談しにくるケースがあり、青木はそうした事例から、いまの社会は職人のような一定の才能を持つ人たちを破綻させる方向に向かわせる「生きる幅の狭い世界」を作っているんじゃないか、と考える。

ぼくには、この「生きる幅の狭い世界」という言葉にひとつ手がかりがあるように思えている。いまはどういうわけか社会そのものの、ある側面での許容範囲が狭まってきていて、その中で、個々人が持つ思考やペースが弾かれやすくなってきているのかもしれない。

10 「普通」を問い直す思想

ぼくは、この10年ほどの間、世の中の「普通」以外の生き方がないのか、という気持ちから、今回取り上げた人たちが書いたような、「生き方本」や「エッセイ漫画」を読むことが多くあり、それらの本には、時々互いに共通する「考えの型」のようなものがある、と感じていた。今回は、ともするとただの「生き方本」と思われていそうな本の中から見える重要な考え方を、ちゃんとひとつの「思想」として取り出してみたい、という動機があった。

思想というと、学者や評論家のような人たちが書く、難しい文章を思い浮かべる人がいるかもしれないが、ぼくにとって思想とは、何らかの社会の問題に直面した人たちが、試行錯誤する中で、自分なりに「応答」しようとすること、のように思える。また、その「応答」とは、しっかりした中身があるもので、時代や地域を隔てた人たちの間で共有されうる、というイメージがある。今回取り上げた人たちの本は、どれも書いている人が試行錯誤の末に、社会に対してひとつの「応答」をした、という内容を持つ本だと思える。

ここまで書いてきた「一度死んで、生き直す」とは、ただ単に「好きなことをして生きる」とか「個性が大事」という考え方ではなく、いまの世の中で、「普通」に生きようとすると知らず知らずのうちに個人を侵食してくる、マッチョな要素から離脱する＝「おりる」、そんな側面を持つ考え方だと思う。

勝山や道草、豊島、伊藤らの本を読んだりする中で、徐々に肩の力を抜くことができるようになった。年収とかステータス的な面で安定しているとはまったく言いがたいのだが、自分の気持ちの面では、楽に過ごすことができるようになった。

けれど、いざ社会の方を振り向くと、社会はぼくが考えているような発想とは逆行していっていると感じる。２０１１年の３・11から安倍政権の7年8か月を経て、２０２０年からは日本でも新型コロナウイルス感染症が流行し、そういう中で競争主義や過剰な自己啓発、差別主義や陰謀論の方向へ行ってしまう人が多くなっていると思える。ぼく自身やこの社会で生きる一部の人たちは、「競争」の考え方の不毛さに気がつき、「おりる」ことの重要性を認識してきていると思うのだが、社会一般の様子は相変わらずどころか、ますます反対の方向へ向かっていると感じるのだ。

だから、今回「生き直す」という考え方をしつこく取り出そうとしたのは、いまの社会の流れに対して「いい加減にしろよ」「いつまでもくだらないことを言ってるな」と言いたい苛立ち、我慢の限界のような面があり、競争的な考え方に対して、まったく違った思想を取り出し、ぶつけてやろう、という理由があった。

自分は生き残れなかったなぁ

また、もうひとつ思うのは、「おりる」という感覚は、「ひどい職場を辞める」とか「都市から田舎へ移住する」とか、いろいろな形で広まってきているとは思えるのだが、それでも、いまひとつ深まっていないんじゃないか、ということだ。いわば〝なんちゃって〟

の「生き直す」「おりる」発想は世にあふれていて、例えば、転職や資格取得、株で儲《もう》けるだの、NPO就職、田舎暮らし、ユーチューバー……などいろいろ言われているが、気をつけないとそれらの中身は激務であったりして、過重労働の会社で働くのと変わらない場合がある。個人が「生き残る」から抜け出そうとして、また同じ地点に回収されてしまう状況が広がっている。だから、〝なんちゃって〟ではなく、「生き残る」に回収されないための、〝ちゃんと〟「おりる」思想を作っておく必要があると思うのだ。

「一度死んで、生き直す」は、もう一度生まれ変わってグレートな人間になってやる、という考え方ではなく、むしろ「一度死んで」の部分に重点が置かれており、ゾンビになってよみがえった人が、自分は一度死んだ(生き残れなかったなあ)という実感をかみしめながら、派手ではないが自分のペースに即した、ゾンビなりの人生をもう1回やってみよう、と考え直す発想だ。

ただし、これは世を拗《す》ね、自分は日陰で生きていく、といういじけた感覚ではなく、こっちの方が本当は「普通」なんじゃないの？　と世の中に問い直す、ぬけぬけとした一面を持つ思想だと思う。

第2部　そう簡単におりられるのか？

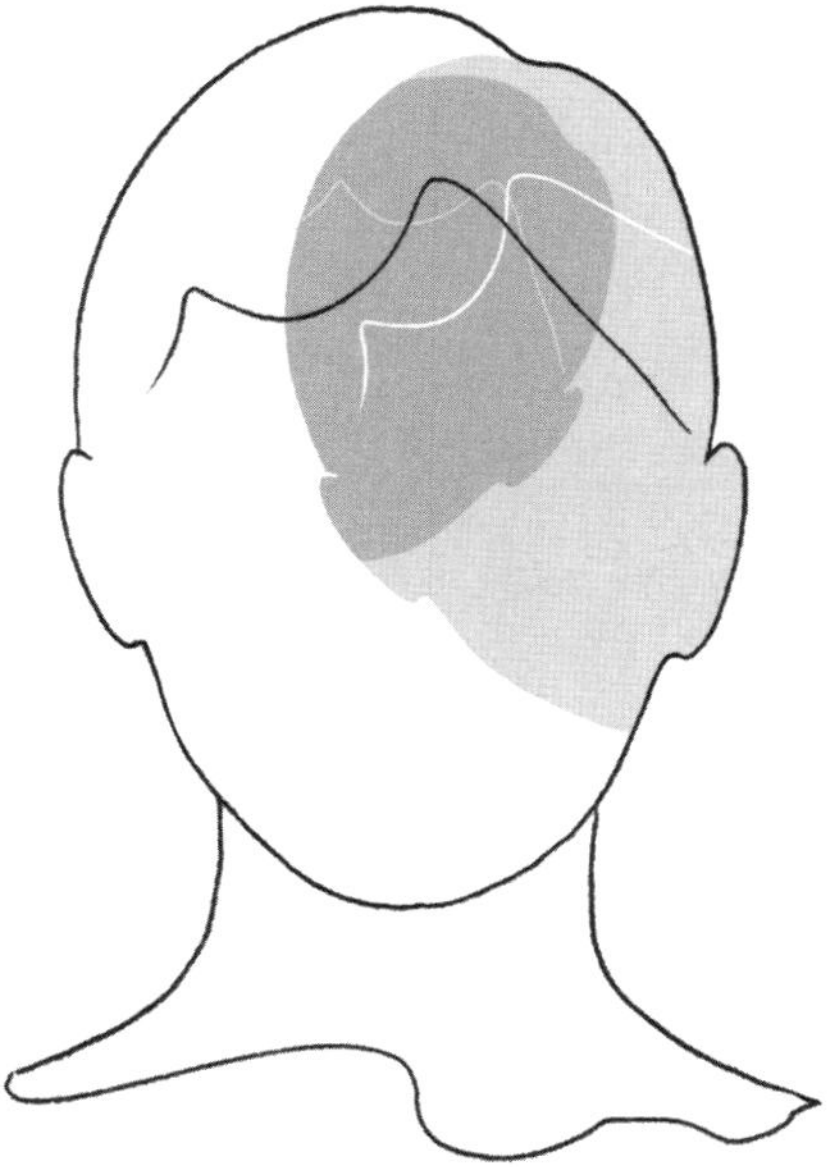

第4章　「好き」か「世界」か――朝井リョウの選択

追いかけてきた「夢」や「憧れ」、自分が通う学校や職場、社会に漂う風潮、何かを「好き」だと思う感情、そういった諸々《もろもろ》から身を離すことができないと感じるとき、人はその自分自身の「おりられなさ」とどう向き合えばいいのだろう。

前章では、いまの日本社会で競争的なものの考え方が広がりを見せているのに対して、その一方で「生き直す」＝「おりる」というまったく違う考え方があらわれてきていることを書いた。この「生き直す」＝「おりる」思想とは、いまの社会の競争に敗れ、社会的な「死」を経験した人たちがもう一度今度は自分なりの方法で生き直そうとする、という競争とは別のステージで生きようとする発想だ。ぼくは、この考え方を、ひきこもりや障害者として生きてきた人たちの本や、仕事を辞めた人の本、自分で小さな仕事（ナリワイ）を作り始めた人の本など、最近の日本の著作家の本を手がかりにして考えた。

この「おりる」思想については、書くべきことを書けたという気もしているし、こうした考え方があらわれてきていることは、今後より多くの人の目にふれたらいいなと思っているが、その一方でぼくは、どこかこの内容で終わりにはしたくない、いい話だが「終わり」はまだここではない、と感じる部分があった。

この章で考えたいのは、むしろ「おりる」ことを考えているうちに頭に浮かんできた、もうひとつの事柄についてである。

それは、「おりられなさ」だ。

このことは、思い返してみれば、そもそもスペインで生活していたときに、ひとつのきっかけがあったのだと思う。はじめに書いたように、ぼくは日本の働き方や政治の雰囲気が嫌になり、半ば日本を「脱出」するつもりでスペインへ行ったのだが、現地で暮らしてみると、海外へ行きたくても行くことができないというスペイン人にたくさん出会った。

スペイン社会は、いまリーマンショックから続く深刻な不況をはじめ様々な問題が山積みとなっており、その空気の中で外国へ出ていく若者も多い。にもかかわらず様々な理由から国や自分が住む街を出ることができない、スペインを「おりられない」人はいる。これは、少し考えてみれば、日本であろうとスペインであろうと、どこでも同じことがありうるといまは思うが、そのときのぼくには、日本を「おりた」つもりで行った先のスペインで、自分の国を「おりられない」人たちと出会ったことに考えさせられるものがあった。人が国や社会で生活を営む中で抱えざるを得ない「おりられなさ」という感覚が、自分の中に実感としてすとんと落ちてきたのである。

こうした考えは、スペインから帰国し、コロナ禍やロシアのウクライナ侵攻が起こり、メディアを通して自分のいる国や街から出られない人々の姿を目にする中で、やはりそういうことってあるよな、と思えた。

「おりられなさ」が頭に浮かぶようになってから、ぼくは、自分自身「おりる」ことに関して人に話したり、他人の本などでそうした主張にふれたりするとき、どこかそこに少し行きすぎた「歯切れのよさ」のようなものを感じるようになった。「歯切れのよさ」とは、自分と社会が対立し、もう闘う他ないとか出ていくしかない（少なくとも相いれない部分がはっきりする）と踏ん切りがつくことから生じる感覚のことだ。ぼくは一方で「おりる」という考え方の重要性を日々感じながらも、もう一方では、自分の中にわずかながら「歯切れのよくない自分」が居残っていると感じたのである。なぜか自分の中には不可抗力的に「おりられない」部分も存在しているのだ。

だからここから考えてみたいのは、「おりる」と同時に持ち上がってくる「おりられなさ」、「歯切れの悪さ」についてである。

さて、前置きが長くなったが、「おりられなさ」の感覚を、この章では小説家の朝井リョウの作品を通して考えてみたい。ぼくが「おりる」の一方で「おりられなさ」が気になっていたのは、じつは10年ほど前に読んだ朝井の小説も理由のひとつとしてあった。

朝井リョウは、１９８９年（平成元年）生まれで、戦後最年少で、また平成生まれとしては初めて直木賞を受賞した作家である。デビュー作『桐島、部活やめるってよ』（以下『桐島』）でスクールカーストと高校生を描き、直木賞受賞作の『何者』では大学生の就職活動やＳＮＳをテーマとするなど、若者を取り巻くテーマやモチーフを青春劇などのジャンルを通して描いてきた。

夢をあきらめる

今回、朝井の小説を取り上げるのは、彼の作品の中に、ここまで書いてきた「おりる」という感覚と、またそれとは反対の「おりられない」という感覚の両方に近い要素を感じさせられることがあり、とくに後者について他の作家の小説や映画作品には見られない特色があると思えたからだ。

朝井は、メディアなどで取り上げられるとき、小説で扱うテーマの面から、また彼自身の作家として活動を始めた年齢の早さから、若者を描く若者作家、のように捉えられてきた面がある。また読者には、作品の中で、登場人物たちの他者に対する観察や辛辣な批評が描かれたり、読者の認識を揺るがす「オチ」が最後に用意されたりする面から、ある意味でキツい物語を書く作家として見られてきた部分もあるように思う。

けれども、ぼく自身は、朝井リョウをそういった一般的なイメージと重ねつつも、あるテーマを繰り返し描いてきた作家として心にとどめてきた。そのテーマとは、「あきらめ」である。

「あきらめ」のテーマは、作品によって描かれ方に違いはあるが、ひとつには、人が自分が追ってきた夢をあきらめる、という物語の形で描かれる。この場合の「あきらめ」とは、主人公が自分が無理をして追いかけてきた「夢」や「理想」をあきらめることであり、つまり、他者から言われたり、もしくは自分でそう思い込んだりする中で追いかけてきた「理想」から自分を解き放つ物語として描かれている。

ぼくには、このような「あきらめ」が、自分にとって負荷のようになってしまった「理想」から離脱するという形を取っている点に、前章で見てきた「おりる」思想と重なる部分があると感じられたのである。

しかしその一方で、朝井の作品では「おりる」ことだけを美談として描くのではなく、それ以前の段階で人が遭遇する、夢や理想をあきらめきれないという葛藤、離脱の困難がしばしば描かれてきた。例えば、「理想」をあきらめきれない主人公の苛立ちや黒々とした感情が描かれるし、「夢」や「理想」とはまた違う言葉になるが、登場人物が、この「世界」からは誰もおりることはできない、と断言する描写が見られる。こういったあり方にぼくは、「おりる」感覚と「おりられない」感覚の両方があらわれ、ふたつの要素が拮抗《きっこう》、いやむしろ「おりられなさ」の方に軍配が上がっているような、インパクトを感じさせられた。

いま日本の若手から年長の書き手までを含めて、「おりる」に類する主張を書く人はある程度いるが、そういう中で朝井の作品に目を向けると、彼の小説の「おりられなさ」は何なのか、と際立つものがある。

朝井自身の意図とはズレるかもしれないが、彼の作品を読んでいると、いまの社会で人が「普通に」生きようとするとふりかかってくる、「夢」や「理想」、また人が生きる場所である「世界」というものが持つ「重さ」、そういった要素から人は簡単には逃れられないという「磁力」を感じさせられた。

ぼくには、こうした朝井作品の「おりられなさ」について考えることは、世界的にいま難民や移民など自分の国・社会を「おりる」動きに注目が集まり、国内でも先に挙げた一連の「おりる」行動があらわれてきている中で、いわばそうした観点では語りきれない、もうひとつの見えづらい側面について考える助けになるのではないかと思える。

こうした土台を踏まえた上で、この文章では、朝井作品の「おりられなさ」という要素からいま何を受け取ることができるのか、それを朝井作品で繰り返し描かれてきた、「好き」と「世界」の対立という構図を通して考えてみたい。ここまで考えてきた「おりる」思想には、まだ補わなければならないものがあるだろう。

ところで、朝井はぼくにとってただ関心を持つ若手の作家というだけではなく、ある「近さ」を感じさせる書き手でもある。

彼は、2008年に早稲田大学の文化構想学部に入学し、2012年に卒業しているが、じつは、ぼくも同じ年に同じ学部に入学し、ほぼ同時期に学生生活を送っていた。といっても面識はなく、当時ぼくは朝井が在学していることを知らず、大学を卒業して間もない頃、映画版の『桐島』を見たことをきっかけに彼の作品である『桐島』と『何者』を読んだ。そのときにふれた両作品は、ただ面白く読めたというだけでなく、この書き手についてはいつかじっくり考えてみたいと思える、心にひっかかりを残す作品だった。その意味で、今回の文章は、ぼくにとって「おりられなさ」という自分の関心を、朝井リョウという同世代の、またずっと気になっていた書き手の作品群と照らし合わす形で考える内容にもなっている。

では、本題に入る前に、朝井のプロフィールと彼のこれまでの作品についてざっと振り返っておこう。

朝井リョウについて

朝井は、1989年、岐阜県生まれ。2009年、大学在学中に『桐島、部活やめるってよ』で第22回小説すばる新人賞を受賞し、小説家としてデビューしている。在学中に作品を書き継ぎ、卒業後は一般企業に就職。兼業作家として執筆を継続し、2013年に『何者』で第148回直木賞を受賞する。先述の通り戦後最年少、平成生まれでは初の受賞者となる。2014年『世界地図の下書き』（集英社、2013年）で第29回坪田譲治文学賞を受賞。2015年に会社を辞め、専業作家となり、2021年『正欲』（新潮社、2021年）で第34回柴田《しばた》錬三郎賞を受賞。エッセイ集に『時をかけるゆとり』（文春文庫、2014年、初刊は2012年）などがある。これまでに『桐島』『何者』『少女は卒業しない』（集英社、2012年）が映画化され、最新作『正欲』も映画化された。

今回、これまで単行本になった朝井の小説作品をほぼすべて読んでみたのだが、それらの作品をいまのところ3つの時期に分けて捉えることができるように感じた。ひとつめの時期は、彼がデビューした学生作家の時期であり、ふたつめは、大学卒業後に就職し、企業で働きながら執筆を続けた兼業作家の時期。3つめは、その後退職し専業で小説を書いて現在に至る専業作家の時期である。この分け方は、ぼくが彼の作品を読み通して、小説の内容と書き手である朝井の状況を振り返ったとき、なんとなくこう分けられるかな、と考えただけのあまり厳密ではない分類なのだが、この文章を読む上でのひとつの参考程度に考えてもらえればと思う。以下、それぞれの時期を第1期から第3期までと呼ぶことにする（朝井作品のうち『発注いただきました！』については、2015年から2019年にかけて書かれた短編小説とエッセイを集めた一冊なので、以下の区分からは除く）。

第1期（学生作家時代）

『桐島、部活やめるってよ』（集英社、2010年）

『チア男子!!』（集英社、2010年）

『星やどりの声』（角川書店、2011年）

『もういちど生まれる』（幻冬舎、2011年）

『少女は卒業しない』（集英社、2012年）

第2期（兼業作家時代。ただしこのうち『世にも奇妙な君物語』以降の2作品は、朝井が2015年に会社を辞め、専業作家となった後に書かれた作品なのだが、このグループに加えることにする）

『何者』（新潮社、2012年）

『世界地図の下書き』（集英社、2013年）

『スペードの3』（講談社、2014年）

『武道館』（文藝春秋、2015年）

『世にも奇妙な君物語』（講談社、2015年）

『ままならないから私とあなた』（文藝春秋、2016年）

第3期（専業作家時代）

『何様』（新潮社、2016年）

『死にがいを求めて生きているの』（中央公論新社、2019年）

『どうしても生きてる』（幻冬舎、2019年）

『スター』（朝日新聞出版、2020年）

『正欲』（新潮社、2021年）

登場人物の広がり

第1期は、デビュー作『桐島』から『少女は卒業しない』までの朝井の学生作家時代に書かれた作品群だ。『桐島』は、とある県立高校に通う高校生たちを描く小説で、スクールカーストと呼ばれる生徒間の階級的な人間関係を克明に描いた。続く『チア男子!!』は、幼い頃から続けた柔道をやめ、大学でチアリーディングのサークルを始める男子大学生を描くスポーツ青春劇。3作目の『星やどりの声』は海沿いの町で喫茶店を経営する一家の物語であり、病で亡くなった父親と残された家族の関係性を描いている。『もういちど生まれる』は、のちの『何者』を思わせる、「夢」との距離感を持つ大学生たちを描く群像劇。5作目であり、この時期最後の作品の『少女は卒業しない』は、廃校が決まった地方の高校を舞台に、複数の女子生徒の視点から「卒業」を描く作品である。この時期は、高校生の群像劇である『桐島』をはじめ、どれも高校生や大学生を主人公とした青春劇になっている。

第2期は、朝井が会社員として働きながら執筆した兼業作家時代である。この時期の作品としては、朝井の大学卒業後に書かれた『何者』から『ままならないから私とあなた』までとするが、このうち『世にも奇妙な君物語』以降の2作品は、朝井が2015年に会社を辞め、専業作家となって以降に書き上げられた作品であるのだが、内容的にそれ以前の作品と近い部分があると思えるので、このグループに含めることにする。

この第2期は、朝井が異なる小説ジャンルに挑戦した時期だったと言える。就活に臨む大学生たちの心理劇を緊張感を持って描いた『何者』の次に、児童養護施設で暮らす少年少女を描くジュブナイル小説『世界地図の下書き』が書かれたかと思えば、ミュージカル俳優とそのファンクラブのメンバーがそれぞれに抱える、「憧れ」への苦い想いを描く『スペードの3』が書かれたりしている。他に、アイドルとして活動する高校生を描く

『武道館』、テレビドラマに着想を得たミステリー集『世にも奇妙な君物語』、正反対の考え方を持つ、親友同士のふたりの人物、というそれまでの朝井作品にもあらわれていたモチーフを正面から描いた『ままならないから私とあなた』などがある。この時期は、主人公も小学生から社会人までと広がりをみせるようになった。

最後に、現在まで続く第3期である。第3期の作品は、『何者』と世界観を共有する連作集『何様』からいまのところ『正欲』までの5作品で、朝井が会社を辞め、専業作家として書いた作品群だ。『何様』は『何者』に出てきた人物が再登場し、一部内容を引き継いでいるが、就活の面接官となる若い会社員を描く一話があるなど、新たな視点から物語が展開された。それまでの朝井作品には珍しく、「震災」や「戦後」など社会的な話題への言及がなされている。ただし全6編のうち3編は2014年以前に発表されたもので、この第3期に含めるのは、2015年以降に発表されたと思われる残りの3編とする。

続く『死にがいを求めて生きているの』は「平成」という時代をテーマにふたりの青年の歪んだ関係性を描く物語。『どうしても生きてる』は、会社員や主婦など中年にさしかかった6人の人物の視点からそれぞれに短い物語が描かれ、作中で東日本大震災が描かれている。『スター』は「朝日新聞」で連載された新聞小説で、映画監督を目指すふたりの青年の関係性を、1章ごとにそれぞれの視点から描くという仕立てになっている。最新作『正欲』では、世の「多様性礼賛」の風潮の陰に隠れた、生きることの困難、あきらめを抱える人々の姿を描く。この第3期に入り、朝井の作品は、それまで描かれてきた「憧れ」や「夢」といったテーマの他、「生きる」ことや「こころ」といった問題が扱われるようになり、第2期より物語・文体も重く、引き締まったものになっている。

また第3期に入ってから、差別や社会運動といった社会的なテーマが描かれるようになり、それと関連して非正規雇用者や不登校の子ども、ひきこもりといった、それまでの朝井作品にはあまり出てこなかった、社会の周縁的な位置にいる人物たちも登場するようになってきている。

1 「おりられなさ」の重要性

夢をあきらめる物語

まず、朝井リョウ作品での「あきらめ」の物語とはどのようなものなのか。朝井の作品では多くの場合、2種類の「あきらめ」が描かれてきたことに目を向けたい。

先に朝井は夢をあきらめる物語を描いてきた、と書いた後に少しややこしいのだが、朝井作品の主人公は、まず物語のはじめの段階ですでに夢をあきらめている、もしくはほぼあきらめかけている、という場合が多い。例えば『桐島』に登場する宏樹《ひろき》という高校生は、野球部で甲子園に出場する夢をほぼあきらめかけている人物として描かれているし、『何者』の主人公・拓人《たくと》は、友人と劇団を立ち上げることをあきらめ、就活に臨む大学生だ。こうした登場人物たちが序盤から抱えているタイプのあきらめがひとつめのものである。

注意したいのは、このような「あきらめ」は、実際は彼らがいまだに夢をあきらめきれていないこととの裏返しとして描かれている点であり、こういう主人公たちを通して、むしろあきらめることとの困難がいつも描かれていると思える。このひとつめのあきらめは、「あきらめ（きれなさ）」とでも言うべきものだ。

一方主人公たちは、そうした状況から生まれる苛立ちや葛藤を経た後、以前とは違う形での夢との決別、前向きな意味での「あきらめ」に到達する。これがふたつめである。

朝井のデビュー作『桐島』は、地方のとある県立高校に通う5人の高校生の視点から彼らの学校生活を描く作品だ。5人それぞれが物語の語り手となり、1章ごとに視点人物が変わり、別々の人物の目から学校での出来事が描かれる。彼らの学校には生徒たちの階層構造、いわゆるスクールカーストが存在し、5人は、そうした階級・序列化の中での「上」や「下」に分かれており、所属する部活も異なるのだが、ひとつ共通している点がある。彼らの学年では、バレーボール部のキャプテンを務めた桐島という生徒が突然部活をやめ、学校に来なくなっており、この「桐島」に象徴される、一種の理想像、夢や目標といったものに対して、全員何らかの形で「あきらめ（きれなさ）」を抱えているのである。

この5人のうち、風助《ふうすけ》という高校生の物語の結末部分には、当初彼が抱いている「あきらめ（きれなさ）」に対して、彼がそれとは別の形での「あきらめ」に到達することが描かれている。

風助はふたりめの語り手として登場する視点人物で、バレーボール部に所属し、友人でもありキャプテンも務めていた桐島に対して、桐島にはかなわない、というあきらめを抱いている。彼の章では、桐島が突然部活をやめた後、代わりに風助がレギュラーメンバーに選ばれ、胸中で喜びを覚えると同時に、桐島へのうしろめたさや、結局自分はレギュラーになっても彼のようにはプレイできない、といった黒々とした感情を抱える姿が描かれる。他の学校との練習試合で、彼は自分は桐島には及ばないことを痛感するが、その最後の場面で、かつて試合中によく桐島がベンチにいた風助に助言を聞きにきていたことを思い起こす。彼は、ベンチにいた自分だからこそチームを見渡すことができたということ、桐島はそのような風助ならではの視点を必要としていたのだと気がつくのである。

この風助の気づきは、桐島のようになろうとするのではなく、それまでのダメだと考えていた自分の意義を見直すという形で、彼自身が「桐島が戻ってくるまでは俺がボールを繋《つな》ごう」と試合に前向きに臨む結末につながっている。ぼくには、この点が「桐島」という理想をあきらめる形を取りながらも、最初の「あきらめ（きれなさ）」とは違う、前向きな意味合いを持つものと感じられた。

説得力のある「前向きなあきらめ」

このようなタイプのあきらめは、その後2作目の『チア男子!!』や第2期の『世にも奇妙な君物語』などでも描かれている。『チア男子!!』は、大学でチアリーディングのサークルを作る男子大学生たちを描く青春劇であり、主人公の晴希《はるき》が幼少時から無理をして続けていた柔道をあきらめ、それまで大会で仲間を応援するばかりだった自分自身の持ち味を見直す中で、大学でチアリーディングのサークルを始める姿が描かれる。これもまた、それまでマイナスと捉えていた自分自身をプラスに捉え直すところから新たな出発を迎える人物が主人公となっており、ある意味で、『チア男子!!』は『桐島』に登場した風助の「その後」を描く作品であるようにも感じられる。

これらの作品に見られる、ふたつめの「あきらめ」を、そのままの呼び方になるが、「前向きなあきらめ」と呼ぶことにしたい。

ぼくは、この『桐島』やのちの『何者』といった作品を読んだとき、結末で登場人物たちがあきらめることで逆にようやく前を向ける、という、ホッと一息つける感じが印象に残った。こうした主人公らの最後の気づきは、他者から押しつけられたり、自分で設定した夢や理想といったものから脱する、という意味で、あきらめでありながら、前向きさを持っている。その点が、ぼくには第3章で書いた、「おりる」という言葉に近いものがあると感じられたのである。

このような前向きな「あきらめ」または「おりる」感覚は、朝井だけでなく、同時代の小説や映画にもある程度共有されてきたものであるようにも感じられる。例えば作家の西尾維新や谷川流が描いたライトノベル作品では、何らかの才能や個性を持つ他者を「特別」であると捉え、そうした人々に対して自分自身は何も才能や個性を持たない「普通」

もしくは「平凡」な存在だという自己認識を持つ主人公たちが描かれた（例としては西尾による『〈戯言シリーズ〉』〈講談社ノベルス、2002～2005年、2023年〉や谷川『涼宮ハルヒの憂鬱』〈角川スニーカー文庫、2003年〉など）。

また、日本映画などでも広く捉えてみると、近年「あきらめ」をテーマとするいくつかの重要な作品が作られている。例えばかつて自分のもとを去った恋人の男との関係性を一見ラブストーリーの形式で描きながらも、実際にはどこかホラー映画めいた緊張感を持って演出した、濱口竜介監督による『寝ても覚めても』（2018年）や、片思いの相手を追いかける主人公がその自分自身の気持ちとどう折り合いをつけるかを丹念に描く今泉力哉監督の『愛がなんだ』（2018年）。若者とサブカルチャーとの奇妙な距離感を描く作品としては行定勲監督による『劇場』（2020年）、森義仁監督『ボクたちはみんな大人になれなかった』（2021年）などもある。

こうした作品群は、「あきらめ」という言葉を広く捉えてみると、朝井作品と共通する要素を持っており、そこには理想との距離感、時代や自分自身に対する諦観、自分が抱える葛藤とどう折り合いをつけるか、といった問題意識が共有されていると感じる。どこに違いがあるかというと、朝井の場合は、最後にホッと一息つくような「前向きなあきらめ」が描かれる点では他の作家の小説や映画と同じなのだが、むしろその「あきらめ」に到達するまでの「おりられない」過程の方に力が込められていて、より生々しく描かれているのである。朝井の作品には時折、「あきらめ」るなんて無理だ！　と言わんばかりの気迫がみなぎっている。また、そうした「おりられない」過程がしっかり描かれるからこそ、最後の「前向きなあきらめ」が説得力のあるものになっている。

このように考えているうちに、朝井の作品については、むしろ「あきらめ（きれなさ）」、言い換えれば「おりられなさ」の方に見るべきものがあるのではないか、と思えてきた。

この文章では、まずこのような感触を出発点とし、彼が書いてきた作品を通して、「あきらめ（きれなさ）」「おりられなさ」といった感覚について考えていくことにしたい。

遠すぎる距離

さて、朝井リョウの作品に見られる「あきらめ（きれなさ）」「おりられなさ」の感覚とは、どのようなものなのか。

最初に書いておきたいのは、「夢をあきらめる」物語というと、例えば音楽家や小説家を目指す若者の青春劇のような内容を想像する人がいるかもしれないが、朝井作品は、形こそのような物語に見えるのだが、その内容に普通の〝夢追い青春劇〟とは大きく違う部分があるということだ。朝井作品にはより過剰で切迫した要素が見られるのである。

ここではまず、そのような過剰な部分について、ぼくなりに考えた朝井作品のふたつの要素から話を始めてみたい。

ひとつめは、「距離感」である。

朝井リョウの小説を初めて読んだ頃、まず興味をひかれたのが、作品内で主人公がさまざまな形での「距離感」を抱えている姿が描かれていることだった。例えば主人公らが、自分が持っている夢や、憧れている存在に対して、その夢には到達できない、憧れの人のようにはなれない、などといった形で距離感を持っていることがしばしば描かれる。

『桐島』を例に取ると、語り手である5人の高校生たちは全員何らかの形で夢や憧れと自分が断絶している感覚を持っている。

先ほど、バレーボール部の風助が、突如部活をやめたキャプテンの桐島に対して、彼のようにはプレイできない、というあきらめを抱えていたことについてふれたが、風助の桐島に対する認識は次のように描かれている。

俺が公式戦に出られたのは今までで二回だけ。今でもはっきりと覚えている。桐島がつき指をしてしまったときと、身内の不幸で試合を休んだとき、その二回だけ。試合の前日に行われるレギュラーメンバー発表のときも、全然緊張しなくなってしまった。

（…）

キャプテンには勝てない。

（『桐島』文庫版、23頁）

別の箇所では、風助にとって桐島は、単にキャプテンであり友人であった人物ではなく、「みちしるべ」のような存在だったと語られている。風助は、そのようなある種の理想を体現する存在である桐島に対して、彼が姿を消した後も、「勝てない」と力の差をまざまざと感じるのである。

「夢や憧れに到達できない」という距離感

この風助の次に登場する、ブラスバンド部の部長・沢島にも似たような描写が見られる。彼女は、同じクラスの目立つ男子生徒のひとり竜汰《りゅうた》に片思いをするが、クラスメイトの志《し》乃《の》も彼に想いを寄せていることを知り、「私、竜汰、好きだな」と口にする志乃の姿を目にし、「世界で一番美しいものを見た」と感じて、自分の本心をしまい込む。志乃は、元生徒内の格差でいえば「上」のグループにいた生徒であり、それに対して沢島は、自分を「上」よりは低い位置にいると考えている人物として描かれている。

この風助と沢島というふたりの生徒は、一見すると片方は部活で友人に勝てず、もう片方は恋愛でクラスメイトに引け目を感じているだけに見えるかもしれないが、そうではなく、彼らふたりはどちらも桐島という「みちしるべ」や志乃という「上」の存在に対して、自分はそうなれない、と感じる強い断絶を抱えているのである。彼らには、自分が桐島や志乃のような存在には絶対になれないこと、自分はそこには到達することが決してできない、という圧倒的な距離の感覚が持たれている、そのことに重要性がある。

『桐島』では、他の視点人物もみな何かしらの距離感を抱いていることが描かれる。第4章に登場する映画部の男子生徒・前田は、沢島と同じく、生徒間の格差の中で、「上」にいる生徒らに距離を覚えているし、一方、その次の第5章の語り手である女子生徒の実果《みか》は、自分自身は「上」の女子グループに属しながら、亡くなった義姉に対して引け目を持つ様子が描かれる。先ほど述べた、最終章の語り手である野球部の宏樹も、やはり「甲子園出場」という夢に対して、自分はそこには到達できない、という距離感を抱いていた。『桐島』は、「上」と「下」の違いなど、スクールカーストの描写がリアルだ、といった感想を聞くことが多いが、その一方で、「上」「下」を問わず、語り手である高校生たちがみな、この過剰な距離感、作中の表現を借りれば「じっとりと湿った諦め」に包まれていることが共通して描かれているところに、見るべきポイントがある。

このような過剰な距離感の持ち方は、他の作品でもたびたび描かれてきた。例えば第2期の作品である『スペードの3』では、3人の視点人物ごとに3つの物語が描かれるが、その3人とも自分と理想（もしくは自分より先んじている人物）との間に一線を引き、自分は線の向こう側に行くことができないという認識を持っている。この作品については詳しくは後述する。また、同じ第2期のミステリー集『世にも奇妙な君物語』の「脇役バトルロワイアル」という一編では、デビュー以来主役の仕事が減少している俳優の淳平が「主人公」という存在に、また「主人公」を演じることができる他の俳優たちに対して距離感を抱く様子が描かれている。

「あきらめ（きれなさ）」「おりられなさ」には、こうした距離の感覚が土台になっていると思える。先にふれた『桐島』でいうと、冒頭主人公らがある種の諦観に包まれていることの背景には、「自分は夢や憧れに到達できない」という距離感が存在するのである。彼らは、自分と目標の間に、大げさなまでの距離を感じ取り、ぼう然と立ち尽くしている。

こうした朝井作品の登場人物たちを一歩引いて眺めると、自分と目標との間にそんなに距離があると感じられるならば、むしろ、すぐにあきらめがつくのではないか、と思えたりもするのだが、なぜか朝井の小説の登場人物たちは、そう簡単に夢から解き放たれることはないのである。

歪《いびつ》で強い光

朝井作品について、その過剰な要素としてふたつめにふれておきたいのは、「光」の描写だ。

これまで朝井リョウは、「光」を印象的に描写する書き手として言及されることが多かった。例えば、『桐島』の映画版を監督した吉田大八は、『桐島』の文庫版解説で、原作で映画部の前田と野球部の宏樹が邂逅《かいこう》する場面の「ひかりが振り返って、俺を照らした」という一行に「すっかり持っていかれ」たと書いているし、早稲田大学で朝井リョウのゼミの担当教員であった堀江敏幸や小説家の西加奈子も、それぞれ朝井作品の文庫版解説を書いたとき「光」に言及している。
「光」の描写といっても、作品によって内容に違いはあるが、主だったパターンとしては、「光」が主人公にとって失われた、もしくは距離を感じている理想像と重ねて描かれることがある。『桐島』の桐島、3作目の『星やどりの声』に登場する父・星則などをはじめ、「光」は、主人公がそうはなれない「理想」や「上」の立場を体現する人物と重ねられてきた。

（…）俺がアドバイスすると、どんなに小さいことでも桐島は本当にありがたそうな顔をして笑って、サンキュ、次は完璧、とかかっこいい言葉を残して、ホイッスルの音とともにコートへ戻っていく。
（…）
輝くコート、
違う、
桐島が輝いているんだ。

（同前、25頁）

こうした描写は、一方で主人公らを「光」から遠い位置にいる人物として描くことにつながっており、「弱い光」しか差さない環境でなんとか生き抜こうとする人々の「覚悟」を感じさせるような部分があった。「光」のこうした側面は、先の吉田による『桐島』の解説で言及されている。

しかし、ぼくは今回朝井の作品を読み通し、途中まではその「光」について、「弱くなったもの」という印象を持っていたのだが、次第に、どうもそれだけではない部分もあるんじゃないかと思えてきた。

それは、いくつかの作品、とくに最近の作品に、光がむしろ「強さ」を感じさせるものとして描かれていることに気がついたからだった。最近の朝井作品では、光がどこかギラギラとした歪な輝きを持つようになってきているのである。

グロテスクさが際立つ表現

例えば第3期の作品『死にがいを求めて生きているの』のある場面では、主要人物のひとり堀北雄介の父親が、ある企業で「リスク統括室」の責任者として勤務し、地震が起きる場合に備えて、日々物資や緊急時のシステムを万全の状態にしておこうと努めている様子が描かれる。雄介が同級生らと父親の会社へ職場体験に行ったとき、彼の父親は、雄介と一緒に職場体験に来た同級生の女子から、「ヤバい災害起こるの、楽しみに待ってるって感じだよね」「何がやりがいなんだろ」などと陰で揶揄される。しかし、ちょうどそのタイミングで、緊急地震速報機のランプが「赤く光」り、大音響で危険を知らせ始める。その際の雄介の父親の姿は、亜矢奈という別の女子生徒の視点から次のように描かれる。

「机の下に潜って！」
堀北の父親がそう叫びながら、マウスを握りしめる。亜矢奈は、ちょうど無人になっているデスクの下に体を滑り込ませながら、カチ、というクリック音を聞いた。
そしてそのとき、堀北の父親の両目が、何万回も磨かれた水晶のように光り輝いたような気がした。

（『死にがいを求めて生きているの』150頁）

ここで雄介の父親が瞳に宿す光は、失われた光だとか、主人公が離れたところから見つめる自分にはない「明るさ」とかいったものとはニュアンスの異なる、ある人物の中に宿ってしまった何かギラギラした輝きとして描かれている。

こうした光は、同じく第3期の作品『どうしても生きてる』で、久しぶりに学生時代に通っていたライブハウスを訪れる中年会社員・豊川の革靴に光が反射する場面や、

（…）両足の間に鞄《かばん》を置いた。すると、日に日に張りをなくしていく革靴の甲を、ステージを照らす光が歪な形で滑り落ちていったのが見えた。

（『どうしても生きてる』53頁）

『どうしても生きてる』の次に刊行された、「朝日新聞」での連載を単行本化した『スター』で、ユーチューバーの事務所を主人公・紘《こう》が観察する場面にも見ることができる。

（…）所属する人たちを頑《かたく》なに“YouTuber”ではなく〝アーティスト〟と呼称する姿勢に、紘は少し笑ってしまった。新しい形、新しい価値観を、と謳《うた》いながら、従来の物差しに基づく品質保証を喉から手が出るほど欲している気持ちがぬらぬらと輝いて見えるほどだった。（…）

（『スター』140〜141頁）

また、少しニュアンスが異なるが、『どうしても生きてる』の「七分二十四秒めへ」で派遣社員として働く女性・依里子《よりこ》が仕事帰りに食べる、何もかもが山盛りのラーメンの「オーロラ」のような輝きも、これらの光と通じるものがある。

これらの表現に共通するのは、光が「歪」であり、靴の甲を「滑り落ちて」いくだとか、「ぬらぬら」しているとか、ジャンクフードとしてのラーメンに重なる「オーロラ」など、どこかグロテスクさが際立っていることだ。こうした光を前にする最近の朝井作品の主人公らは、疲弊した大人、社会人として描かれることが多い。

特別な諦観

ぼくは、こうした最近の朝井作品に見られる「強い光」ということを踏まえると、先に少しふれた「理想像と重なる光」「失われた光」といったモチーフについても、少し違った角度から考えることができるんじゃないか、と思えたりする。たしかに朝井作品で「光」は失われたもの、弱まったものに見えるかもしれないが、それと同時にじつはその光は、登場人物たちの内部にもぐり込み、非常に強いものとして、禍々《まがまが》しい輝きを放ちながら、生き長らえているように見えるのである。

先ほど、朝井作品の登場人物たちはそう簡単に夢から解き放たれることはないと書いたが、その理由の一端がこの「光」の描写からは垣間見える気がする。彼らが夢をあきらめきれないのは、彼らにとって夢が単に外側にある遠い目標なのではなく、どこか彼ら自身が自分の内部に取り込み、維持・強化してしまっている部分があるからではないか。

こうした失われたはずなのに、なぜかそれが自分の内部ではより強く存在し続け、いまもそれに束縛されている、というあり方が、朝井の小説を読んで伝わってくる、独特な点である。朝井作品の「おりられなさ」の根っこには、こうした幽霊のような、なくなったはずの存在の「強さ」が絡んでいる。

ここまで見てくると、朝井の「夢をあきらめる」物語には、よくある夢を追う若者の青春劇とはまったく違う、過剰さ、切迫感があることが分かるのではないか。

「距離感」と「光」というふたつの要素は、どちらも同じ内容を別々の角度から表現しているとも感じられる。「距離感」は、主人公と彼・彼女にとっての目標との間の断絶の深さについて描くものであり、「光」は、目標としている存在の過剰なまでの大きさをあらわす表現となっている。どちらも、これこれの能力が足りず、小説家やミュージシャンになれない、そのため悲しい、悔しい、といった具体的、個別の話ではなく、もっと根本的なところで、「自分は〇〇には及ばない」という感覚を持つ人物の、より抽象的で特別な諦観を描くものになっている。

この特別な諦観が「あきらめ（きれなさ）」「おりられなさ」の土台にある感覚なのではないか。朝井作品で描かれるこうした漠然とした自信のなさ、あきらめ、執着といった感覚は、ぼくには、いまの世の中にも薄く広く漂っているものであり、「おりる」という言葉の対岸で人を惹きつけ、同時に、強く縛りつけている要素だと思える。この「おりられなさ」の持つ磁場の強さを感じ取ることが必要なんじゃないだろうか。

では、この「あきらめきれなさ」「おりられなさ」を描くことのどこに重要性があるのか、もう少し考えを進めていきたい。

別のルートから「何者か」になる

朝井は、人が「あきらめきれなさ」「おりられなさ」を抱える中である種の問題を引き起こすことについて、これまでの作品で意識的に描いてきた部分がある。

こうした人物が持つことになる問題とはどのようなものなのか。

そのひとつとして、何かをあきらめたはずの人物が、じつは別の経路から再びその何かを目指してしまい、自分が設定した夢や目標に縛られ続ける、という状態が描かれる。

『何者』の主人公拓人を例に取って考えてみたい。

『何者』は、朝井リョウが一般企業に就職してから初めて書いた、第2期の出発点となっている作品だ。大学で打ち込んできた演劇サークルを引退し、就職活動を始める大学生拓人の視点から彼自身の就職活動、また共に就活対策として集まるようになった4人の学生の就活模様が描かれる。

この主人公拓人の場合、彼は大学で打ち込んでいた演劇サークルを引退し、旧友のギンジと劇団を立ち上げるという夢をあきらめ就活をするのだが、彼は演劇をあきらめたかのように振る舞いながら、じつは演劇関連の企業を受けており、自分の長所と考えている「観察眼」が誰かに認められ「何者か」になれることを望んでいたことが最後に明らかになる。

『何者』は、就活を題材とする小説であると同時に、SNS、とくにTwitter（現X）を作中で大きく扱っている作品でもある。本をひらくとはじめの部分には、拓人と同級生たちのTwitterアカウントのプロフィールを模した画像が掲載されており、作中では時折地の文の間にそれぞれの学生によるTwitterでの「つぶやき」が挿入されるようになっている。拓人と、彼が一緒に就活対策をする同級生4人（光太郎、瑞月《みづき》、理香、隆良《たかよし》）の間には、就活のために協力しながらも、さりげなくお互いを牽制《けんせい》し合うような水面下での緊張感があり、彼の語りを通して、まだ何者でもない彼らが自分を何者かであるかのように誇張して演出しようとする姿勢が皮肉っぽく描かれる。この小説は、途中までは、読む側も拓人の視点に同化しながら、同級生たちを斜め上から観察するように読むことができるのだが、結末では、同級生らを「何者か」になりたがっている、と批判的に観察していた主人公こそが、じつはSNSで彼らの様子を文章化し、不特定多数の人々からの称賛を得ようとしていたことが明らかになる。拓人は、演劇を通して何者かになることをあきらめたようでいて、じつはSNSという別の経路を通って再び何者かになろうとしていたのである。彼は終盤で同級生の理香から次のような批判を受ける。


「拓人くんは、いつか誰かに生まれ変われると思ってる」

（…）

「あきらめるふりして、あきらめきれてない。今年だって、周りにはもうあきらめたって言いながら、実は演劇を取り扱ってる企業をこっそり受けてたりしてる。この鋭い、自分だけの観察力と分析力で、いつか、昔あこがれたような何者かになれるって、今でも思ってる」

（『何者』文庫版、３０９頁）

この拓人の状況は、物語の終盤になり、光太郎や瑞月といった同級生らが内定を得ても、彼自身が内定を得られないことの裏返しの事情として描かれている。まず拓人個人にとってこの状態がどのような問題をはらんでいるかというと、自分が「何者か」にはなれないこと、その出発点を見落としてしまい、延々とたどり着けない目標を目指して歩き続ける、一種のループに入り込み、先に行けない状態になってしまう、という点にある。

同じ夢に縛られ続ける

また、こうした状態は、拓人個人の内部だけでなく、他者との関係においても問題をはらんでいる。例えば、彼は、同級生らが、自分が何者かにはなれないことをじつはある程度自覚していたらしいこと、そうして生きざるを得ないといった事情を見落としている。さらに、彼は同級生たちの様子をＳＮＳで文章化し、中傷もしている。拓人は、最後に理香から受ける批判を通して、自分が斜め上から観察していた光太郎や瑞月、理香、隆良、また演劇サークルの旧友だったギンジについて、彼らはそれぞれに「何者かにはなれない」という状況を多かれ少なかれ頭のどこかでは受け止めているらしいこと、自分もまたいまの「カッコ悪い自分」を認めることから出発するしかないことを身をもって理解する。

『何者』の他には、同じ第2期の作品『世にも奇妙な君物語』の中の一話「脇役バトルロワイアル」の主人公である俳優の淳平に拓人と同じ思考を見ることができる。淳平は、かつては「物語の主人公」のような存在に憧れ、デビュー当初は主役の仕事を多く受けていたが、年を重ねる中でテレビのバラエティ番組やドラマの脇役を演じる仕事が多くなってしまう。そんな中、彼はある舞台のオーディションを受けるのだが、そこで演出家から自分の「脇役」的な素養を認められることによって「主役」の座を得られるかもしれない、と考え始める。淳平の胸の内は次のように描かれる。

(…) 普段は脇役としてキャリアを積んでいる役者からあえて主役を選ぶなんて、こんなチャンス、二度とないかもしれない。自分が野田作品の主役を演じることになれば、(…) 若手俳優たちに一泡も二泡もふかせられるだろう。人より空気が読めて、客観性があって、かつサービス精神が旺盛な自分が俳優として軽んじられている現状は、やっぱりおかしいのだ。

（『世にも奇妙な君物語』文庫版、285頁）

ここでの主役になれなかった自分が、「脇役」という別の回路から主役に抜擢《ばってき》される、という考え方は、演劇をあきらめ、SNSを通して何者かになろうとする拓人の発想と同じものだ。ちなみに、第3期の作品『スター』に登場する脇役の大樹という人物も同じ思考を持っていることが描かれている。

こうした「別のルートから何者かになろうとする」描写は、例えばミュージシャンになる夢をあきらめ、どこかの企業に入り、そこでの仕事に生きがいを見出す、というような明るく地に足がついた話ではなく、かつての夢を目指したことと形は違えど、いまも同じ夢に縛られ、その結果本人にとって無理が生じているし、他者に対してもどこか危うい一面を持つことになる、という「薄暗い」問題として描かれているように思う。

「普通」と「特別」の間の一線

「あきらめきれない」人物の姿を通して見えてくる、もうひとつの問題点としては、「普通」と「特別」というふたつの要素の間に過剰な一線を引いてしまう思考がある。

第2期に書かれた『スペードの3』を読んだとき、このような問題に気づかされた。『スペードの3』は、朝井が『何者』の後にジュブナイル小説である『世界地図の下書き』を書き、その次に発表した作品である。この小説は、3つの章から成る連作集で、『桐島』などと同じようにそれぞれの章で別々の人物が主人公として登場する。かつて有名劇団で活躍した俳優であるつかさと、彼女のファンクラブ「ファミリア」の面々が物語の中心となり、「ファミリア」を束ねる美知代、美知代の小学校時代の同級生むつ美、そしてつかさの3人の人物が主人公となっている。

第1章では、美知代が会社員をしながら余暇でつかさのファンクラブ「ファミリア」を運営する物語が描かれるが、美知代が自分やファミリアの他のメンバーのことを「普通」側にいる存在、一方憧れのつかさや芸能人といった人々を「特別」な側にいる存在と捉えており、そういった彼女の考え方に含まれる問題が提起されている。

美知代は「ファミリア」のトップとして活動しているが、そんな彼女の前に突然、小学校時代の同級生〝アキ〟があらわれ、彼女もまたファミリアに加入する。この出来事をきっかけに美知代が少数の幹部と共に維持してきた集団内の均衡が崩れ、メンバーの間に揺れが起きてくる物語が展開する。

美知代が持つ、「普通」と「特別」を厳しく分ける独特な思考は、例えば次のように描かれる。美知代は働いている会社の社内報で、社員が芸能人にインタビューするコーナーがあり、その中で社員と芸能人が一緒に写真に収まっているのを見て「虫唾《むしず》が走る」。

（…）社員と芸能人が一緒に収まっている写真など特に虫唾が走る。別のステージで生きていることは誰の目にも明らかな二人が、その事実を笑顔で揉み消し、同じ地平に立っているような雰囲気を漂わせる。全員で手をつないで嘘《うそ》をついていて、気味が悪い。

（『スペードの3』文庫版、39頁）

一方、美知代は自分が束ねるファミリアの会報については次のように考える。

（…）ファミリアの会報には、つかさ様と私たちしか出てこない。誰も、自分はつかさ様と同じ地平に立っているなんて考えていない。その潔さの方が、美知代には健全に思えた。

（同前、40頁）

ここで美知代は、社内報に載る芸能人や会報でのつかさを「別のステージで生きている」、いわば「特別」な存在として捉え、一方自社の社員や自分のようなつかさのファンたちを「普通」側として捉え、両者を同じ地平に立っていい存在とは考えていない。彼女のこうした考え方は、自分だけでなく、他者にまで「普通」と「特別」とを越えてはならない一線として強要する、一種、過剰な厳しさを持っている。

では、そうした一線を越えない「潔さ」をよしとする美知代が、ただのつかさの忠実な従者のような存在なのかというと、そうとは言えないところに、こうしたものの捉え方の複雑さと危うさが提起されているように思う。

「こちら」側で支配者を目指す

この作品で描かれるファミリアは、ただのファンクラブではなく、メンバーはおそろいの黄色い服「家服」を着用し、つかさの舞台を鑑賞した後は、いつも劇場の外できれいに整列して出待ちをするなど、あたかも王女に仕える侍女を思わせる集団になっている。美知代は、その中で、つかさに関する知識や組織への貢献度からメンバーを順位付けするなど、いわば秩序を維持する、集団内のトップとしての立場にいる。彼女はそのような自分自身を一般客と比較して、次のように捉えている。

あの人たちの誰よりもつかさ様に詳しくて、つかさ様のためになっているのはここにいるファミリアだ。美知代は、自分の家服を見つめる。

（…）

その家服を着ている中のトップが自分なのだから、自分が一番、つかさ様のためになっているはずだ。（同前、67頁）

美知代は、一般客よりも「つかさ様のためになっている」ファミリアの中で、さらに自分がトップであることを自負している。ここには、「普通」と「特別」の間に線を引いた上で、いわば「普通＝こちら側」では自分が一番になる、ということに重きを置く思考が描かれている。ここから見ると、美知代は単につかさに仕える謙虚な従者のような人物ではなく、線を引いた上で、内側では支配者の座につこうとする、屈折した野心を持つ人物なのではないか、と思えてくるのである。

こうした美知代の前に、元同級生アキがあらわれ、彼女の口を通して、いわば美知代の考え方に含まれる問題性が追及されることになる。アキはファミリアにとって憧れである、つかさと似た容姿を持ち、家服ではなく私服を着ていたところを当のつかさにほめられるなどして、ファミリアの他のメンバーたちの注目を集め、次第にアキを中心として美知代らの支持する家服や順位付けのあり方に反対するメンバーが増えてくる。

第1章の最後でアキは美知代のファミリアの運営を次のように批判する。

「変だよね」

（…）

「なんか、学校みたい」

（…）

「家、ってつまり、学級委員でしょう。つかさ様に詳しい人から順番に偉いって、そんなたったひとつの項目で人のこと順位づけるの、もうやめようよ」

（同前、126～127頁）

ここでアキが、ファミリアを「学校」と言い、美知代ら幹部（ファミリアの中では「家」

と呼ばれている）を「学級委員」とたとえるのは、かつてアキと美知代が同じ小学校に通っていたとき、美知代が学級委員をしており、クラスの同級生たちを自分の思うように動かそうとしていたことと、いまファミリアのトップとして美知代がやっていることとを重ね合わせる意図から発せられた言葉だ。

美知代は小学校時代も、クラスの同級生たちを支配しようとし、また一方で、自分や他の女子たちの憧れ的存在だった、ある男子児童を他の女子たちと共に見つめ、彼が自分の方を向いてくれないか待ち続けていた。アキは、いまの美知代がやっていることを、小学校時代の彼女の状態と重ね、ファミリアについて「同じ条件の中でみんなで手をつないで、平等に、手に入らないものを見つめ続けてる」と指摘し、美知代のことを「その中で、ちょっとだけ自分がリードしていることに優越感を感じてる」と批判する。

この第1章の最後の部分で見えてくるのは、美知代が憧れの存在つかさと自分との間に絶対的な線を引く一方で、彼女が自分と同様に線の「こちら」側にいる他のファミリアのメンバーたちの中で奇妙な順位付け＝一種の階級制度を作り出し、その中で自分が支配者となることで優越感を得る、という薄暗い一面を持っていることである。

ここに読み取れる問題とは、そもそも自分が勝手に引いた一線を他者にまであてはめようとするところに無理があるとも言えるが、それ以上に、そうした考え方をすることで、自分の内部では不毛な優越感に浸ることになり、また一方他者との関係においても相手を順位付けし、思うがままに支配しようとする、危うい一面を持つことにあるのではないか。これは、先の別ルートから何者かを目指す人物の持つ問題とそう変わらないものと思える。

「弱さ」へのまなざし

別のルートから何者かになることと、「普通」と「特別」の間に一線を引くことは、ふたつの問題として分けて書いてみたものの、どちらも、「あっちで負けたから、こっちでは勝ちたい」という考え方になっている点では、共通したものを持っている。

朝井の作品には、このように前段として過剰な「距離感」や「光」にとらわれた人々が、いわばかつての「敗《ま》け」を別の経路から挽回《ばんかい》しようとする「戦い」に臨み、自他に関して問題を引き起こすという物語が多い。例えば『スペードの3』から見えたことを踏まえると、朝井のデビュー作『桐島』で描かれた生徒同士の格差、スクールカーストというものも、そうした視点で捉えることができる。

カーストというと、ピラミッドのような三角形になっていて、その「最上」の位置に

『桐島』に登場する野球部の宏樹のような生徒がおり、また「下」の部分には映画部の前田といった生徒がいる、という風に捉えてしまいそうだが、そもそも『桐島』のピラミッドは、桐島という「特別」な存在が失われ、残された「普通」側の人たちで構成されている構造と思えるのである。

つまり『桐島』では、純然たる階級関係での勝ち負けとしてカーストを描いていたのではなく、じつは頂点を欠く台形のような不完全なピラミッドの中で、取り残された敗者の人々の間で順位付けやコミュニケーション不全、いじめ、といったことが行われる、ぎすぎすとした状況が描かれたのではないか。

先ほどもふれた『世にも奇妙な君物語』の一編「脇役バトルロワイアル」では、主役になれない脇役俳優たちが、主役の座を求めて、あたかも敗者復活戦のようなオーディションに臨む姿が描かれているが、朝井の作品では、人々が自分たちは「特別」を欠いている、と思う状況の中で牽制し合ったり、お互いを順位付けしたりして時に衝突する、不毛な「敗者復活戦」が描かれている。また、こうした一種の閉鎖的な隘路《あいろ》で敗者が争う構図は、第2章で取り上げた、深作欣二が映画で描いた「サヴァイヴ」のテーマと重なり合う点がある。

ぼくは、朝井の作品の「おりられなさ」「あきらめきれなさ」に見る重要性とは、こうした側面にあるのだと思う。スクールカーストや就活といった、時代のキーワードとされる言葉の裏に埋もれている、人々のある種の「弱さ」を掘り起こしている、ということだ。スクールカーストのような順位付けにせよ、お互いに牽制し合いながら競争する、サヴァイヴ的な状況にせよ、いまの社会での水面下での衝突というのは、多くの場合、個人と個人の間で起きる単なる「衝突」としてしか捉えられることがない。しかし、朝井の小説を読むと、そういったいまの時代の衝突とは、じつは、そもそも一個人としてどこか非常に「もろい」部分を持った人々の間での一種、悲惨な戦い、より「みじめ」な情景として見えてくる。いまのところ、ぼくには、こうした風景が、朝井の作品から受け取れる最も重要な側面であるように思う。

また、朝井作品では、「負け」を認めず、敗者復活戦に臨んでしまった主人公たちが、最後にようやく前向きな意味での「あきらめ」を経験することが描かれ、そのことを通じて、自分たちは何者かにはなれない、その「負け」を認めるところからスタートするしかないのだ、という出発点の確認が描かれており、ここにもひとつの意義がある。

『桐島』から『スペードの3』まで、主に第1期から第2期の作品に見られるこのような側面は、その後の朝井作品ではどのように展開されていったのか。じつを言えば、ぼくは、その後の朝井作品でこうした「おりられなさ」の重要性がうまく書き継がれていったとは考えていない。次は、主に第2期から第3期の作品を通して、いま朝井作品がぶつかっている、ある種の課題、難点について目を向けていこう。そうした「課題」に向き合ってみると逆に、朝井作品の今後の可能性や展望といったことも見えてくることだろう。

2　朝井作品の課題

無意識的に描かれる「おりられなさ」――選択・行動主義

朝井リョウの作品が現在ぶつかっている課題とはどのようなものなのか。

ぼくは朝井作品には、人々が抱える見えづらい「弱さ」や「もろさ」へのまなざしがあり、そうした状況の背景にあるものとしての「おりられなさ」の感覚が意識的に描かれてきたと思う。「おりられなさ」は、物語の中では『スペードの3』のように否定的に描かれるが、作品全体として見れば、それは、書き手自身が意識的にたしかな距離を持って作中に描き込むことで物語の土台をかためる、重要な一要素になっていたと言える。

しかし、その一方で朝井の作品を読んでいると、書き手自身があまり意識せずに書いている、いわばもうひとつの「おりられなさ」があるとも感じた。それは『スペードの3』などで出てきた物語中で否定的に描かれる「おりられなさ」とは違い、どちらかと言えば肯定的に、もしくは朝井自身の主張と重なるかと思われるような形で描かれている。いわば朝井が十分に意識化したり整理したりしないまま、作品に浮かび上がってしまっている「おりられなさ」と言えるもので、ぼくには、これは前者の「おりられなさ」と一見似ているが、むしろここまで見てきた朝井作品のすぐれた要素をおさえつけてしまうような、問題含みの描写であると思えた。

意識的に描かれた「おりられなさ」は、物語中では否定的に描かれるが、それはむしろ作品世界を支える重要な要素になっていた。それに対して、無意識的に描かれる「おりられなさ」は物語内では肯定的に描かれるが、作品自体にとってはむしろバランスを損なう、マイナス要素になっているのではないか、ということだ。

ここからは、そうした無意識的な「おりられなさ」として、ふたつの要素に目を向け、朝井作品の課題について考えていきたい。

まず、ひとつめは、第2期の作品から何度も描かれるようになる、「選択」と「行動」というテーマだ。

朝井作品では、『何者』や『武道館』などの第2期の兼業作家時代に書かれた作品の頃から「選択」や「行動」のテーマがよく描かれるようになった。これは、登場人物らにとって何かを自分で「選び取る」ことや、チャンスを待っていないで「行動する」ことが必要不可欠な、重要な行為として描かれるということだ。

例えば、『何者』では、就活中の大学生らの姿が主人公・拓人の目を通して描かれたが、作中で拓人の就活仲間である瑞月、光太郎といった学生たちの口から「行動」することの重要性が説かれる。瑞月は、これまで自分たちのまわりには、家族など「一緒に線路の先を見てくれる人」がそばにいて、自分を無条件に認めてくれた。そうして、自分たちは簡単に「何者か」になることができた。しかし、これから社会に出れば、もうそのような人たちは、そばにいてくれない。自分が何もできず、カッコ悪い存在であっても、そのことをまず認め、自分の中から何かを出して行動していかないと、もう何者にもなれない、という意味の発言をする。

第2期半ばの作品『武道館』は、女性アイドルグループのメンバーとして活動する高校生・愛子を主人公とし、彼女と、同じグループのメンバーたちが武道館でのライブを目指す中で、恋愛禁止やネットでの炎上といったアイドルをめぐるさまざまな言説や出来事と遭遇し、それぞれが「揺れ」を経験する物語が描かれる。

この作品では、冒頭で主人公の愛子が、幼い頃に両親の離婚を経験し、父と母のどちらと共に暮らしていくか、という選択を迫られる過去が描かれ、その後本編では、愛子が高校生になった現在においてアイドルグループの一員として活動しながら、日々「選択」という行為について自問する様子が描かれる。例えば、ある場面で愛子は父を見てこう思う。

お母さんは、この人のことを選ばなかったんだ。なぜかいま、愛子は強烈にそう思った。(…)

お父さんと私を、選ばなかったんだ。

進路希望調査。二期生募集。大地の大学進学。選ばれる道、選ばれない道。何が正しい選択かなんて、ほんとうに、誰にもわからない。

(『武道館』文庫版、226頁)

「大人になる」というタイムリミット

この作品では、誰にもあてはまるような、たったひとつの正解はない、せめて個人個人が「正しい」と思う選択を行い、それが後から振り返って自分にとって「正しかった選択」になるよう努力するしかない、ということが結末部分で描かれる。

この「選択」と「行動」のテーマは、どちらもこれまでの時代には何が「正しい」かの基準があったり、家族のように自分が何者かを判定してくれる存在がいたりしたが、いまはそうではなくなった、という認識がある。その上で、これからは自分なりに「正しい(と思う)選択」や「行動」をするしかない、という考え方が示される。言ってみれば、「たしかな」基準のようなものがあり、それが自分を根拠づけてくれる時代は過ぎ去った、これからは、自分で判断して動いていかなければならない、という認識である。このような考え方を、ここでは「選択・行動主義」と名付けよう。

「選択・行動主義」が描かれる背景としては、物語内の一種のタイムリミットとして「大人になること」、つまり成熟の問題が描かれることや、第2期頃から繰り返し描かれる、「相対主義的」な思考が関係していると思える。

「行動」のテーマは、しばしば「大人になる」というタイムリミットと共に描かれてきた。『何者』は、社会に出る直前の大学生たちの物語であったし、『何者』の次に書かれた『世界地図の下書き』でも、両親の死を経験し、児童養護施設に預けられた小学生の太輔《たいすけ》が「ずっと一緒にいてくれる人なんて、いない」と、『何者』の瑞月が言った言葉とほぼ同じ考えを胸に秘め、亡き両親と暮らした家に戻るのではなく、その後自分で仲間と何かをしてみようと行動を始める姿が彼自身の成長と重ねられて描かれる。

一方、「選択」のテーマは、一種の「相対主義的」な思考とセットで描かれることが見られる。『武道館』の主人公・愛子は、動画サイトを見たとき、あらゆる動画が自分から等距離にあり、「一番がない」と感じたりする。愛子は、こうした絶対的なものがない、という考え方を土台にして、せめて自分で選び取ったものが後から振り返って「正しかった選択」になるよう努力するしかない、と考えるのである。

最近書かれたものでは、第3期の作品『スター』で、主人公のひとり・紘の父親が、歴史教員をしながらも、教科書に載っている内容がどんどん更新・変更されていくことに気がつき、紘に「よかて思うものは自分で選べ。どうせぜーんぶ変わっていくと」と伝える場面がある。ここでも、「選択」することの前段に、「相対主義」があらわれている。

さて、ここまで書いてきた「選択・行動主義」だが、ぼくはこの考え方には同意できなかった。このテーマは、先ほども書いたように、主に朝井が兼業作家となった第2期頃から前面に出てきたものだが、どうしても一種、マッチョな要素が含まれていると思えてしまった。こうした考え方には、朝井が自分自身の中で、まだ整理しきれていない、無意識下での「おりられなさ」があらわれてしまっていると感じる。また、第1部で見てきた、いまを生きる人々の「弱さ」への気づき、という側面とも微妙にかみ合っていない。

こうした「選択・行動主義」への違和感を、文学や社会といった大きな観点から、客観的に語っていくことはできるだろうけれど、この文章では、まずはそうではなく、朝井と同じ大学に通い、大学生たちの就活が描かれた『何者』を初めて読んだときにぼくが感じた、小さなひっかかり、というごく個人的な観点を入り口にしてみよう。

『何者』に出てこなかった学生

大学を卒業して間もない頃、朝井リョウの『何者』を読み、主人公・拓人が自分を縛る「何者かになること」という夢からどう脱出するかが作者によって手探りで、粘り強く描かれていると感じ、非常にすぐれた作品だと思えたのだが、一方で、自分自身を『何者』

の物語と照らし合わせてみると、この小説には自分のような学生のことは書かれていないな、と当時思えた。

ぼくは、学生の頃からいまに至るまで、就活をしたことがない。フルタイムで働いたこともない。学生の頃、ぼくはちょうど『何者』に登場する隆良という青年と似たような調子で、まわりの学生がみんな就活をするなんて、馬鹿馬鹿しい、と思っていたが、しかし、隆良と違い、ぼくの場合は「何者か」になりたいからとか、優越感に浸っていたくて、そう考えていたわけではない。ぼくがそう考えたのは、自分には到底就活などできないだろうし、会社に入っても満足に仕事が務まらないだろうと感じていたからだ。

ぼくは高校時代にスーパーのアルバイトで叱られ、3か月も経たずに辞めてしまったことがあり、そのときから、自分はいまの日本のたいていの職場では満足に働けないだろうという実感を持つようになった。また、大学に入ってからは、大学の雰囲気が嫌で、一時不登校状態にもなった。そういう状況だったので、ぼくの場合、就活をしなかったのは、「あえて就活をしない」とか「他のことがしたい」とかいった要素もゼロではなかったが、やはり一番大きな理由としては、そもそも「できない」と感じられたからだった。

『何者』には就活に否定的な言動をする隆良や、大学を辞め、劇団を作るギンジ、また就活生だが大学院の推薦枠でほぼ内定を得ているサワ先輩など、いわゆる「就活」をしない派の人々も登場するが、いずれも「できない」という要素を持つ人物として描かれているわけではない。まず隆良は自己アピールのために就活をけなしながら、じつは陰でちゃっかりと就活をしている、いかにも浅い人物として描かれているし、演劇の道を行くギンジは、当初拓人の目からは隆良と同じく、表面的な人物と見られているが、じつはストイックに努力を重ねていることが後で明らかになり、いわば「他にやりたいことがある」というポジティブな動機を持つ人物だと考えることができる。サワ先輩も一見世捨て人のように見えるが、拓人からは、実験や研究といった「社会からきちんと肯定されている」道を行く人物として見られている。

つまり、『何者』には「できない」という感覚が欠けていて、その点で、ぼくは『何者』をすぐれた作品だと感じつつも、自分の状況とはズレを感じたのである。このズレは、今回朝井の作品をほぼすべて読んでみて、とくに兼業作家時代の作品から最近書かれたものについて、より大きな違和感として頭に浮かぶようになった。

これは、第3章で書いた内容と重なっているのだが、ぼくは、いまの社会で重要なテーマとなってきているのは、いわばここでいう「できない」ことを抱えた人たちがどう生きるか、もしくは各個人が自分の中の「できない」部分とどう付き合っていくか、ということだと思っている。この「できない」という視点から見たとき、ぼくは朝井の「選択・行動主義」に違和感を覚えるのである。なぜなら、「できない」というのは、個人の中でいわば変えようのない部分が問題となっているのであり、そういう人たちは、社会の中でそもそも「選択」や「行動」の余地を奪われている、不利な状況にあると思えるからだ。「できない」人たちに「選択」や「行動」が大事だと言っても、それはそうした手段がまだ有効な地点にいる人たちにとっての話なのではないか。

朝井自身の「おりられなさ」

一応ことわっておくと、ここで個人的な学生時代の話を持ち出すのは、もちろん、自分の経験・立場から、それとは違った発想を持つ朝井の作品を一方向的に斬りたいからではない。そもそもぼくには、「批評」の文章に個人的な経験や生活感を持ち込んでもいいじゃないか、という発想があるのだが、今回はそれに加えていくつか他の理由もある。

ぼくは朝井と同じ時期に同じ大学で時間を過ごしたわけだが、朝井は大学での経験のいくらかを『何者』という作品に持ち込み、活かしている。そうした作品を前にして、ぼくが高みから第三者のような姿勢でだけ読み解くことは、どこか不自然に感じられる部分があった。また、当時自分が『何者』に感じた「ひっかかり」は、いまになって振り返ると、その後の朝井作品の課題と重なる大事な側面があったのではないか、とも感じるのである。

もちろん、『何者』については、あくまで就活を「する」学生たちを描いた作品であって「できない」人たちを主人公として描いた作品ではないのだから、そんなに問題とは言えないいんじゃないか、と思う人もいるかもしれない。たしかに、『何者』だけを読んだならば、そう思えてもおかしくない気がする。けれども、その後の朝井作品を読んでみると、『何者』に感じた「できなさ」の欠落は、尾を引く問題となってきている。

というのも、『何者』以降の作品では、とくに第3期のはじめの『何様』あたりから、朝井は、社会問題やマイノリティといったテーマを小説の中で描くようになってきており、それらの描写についても、「選択・行動主義」的な発想で描いてしまうことで、物語がズレたものになってきていると思うからだ。

詳しくは後述するが、その一歩手前の第2期の作品にも違和感を覚える部分はあった。例えば『武道館』では、主人公・愛子が所属する女性アイドルグループのメンバーがネット上で自分の体形に関する中傷を受け、落ち込んでいるときに、愛子が「(でも自分は)見られてやろう」と思った、と気持ちの切り替えを説く場面がある。『世界地図の下書き』では、いじめを受けた小学生がいじめっ子たちを変えることはできないが、自分自身は変わることができると、転校を決意する結末が描かれる。こういった描写は、ぼくには、中傷やいじめをする側をどうにかするのではなく、不利な状況に置かれた人に対して「行動」の重要性を説くという構図になっており、何かフェアではないと感じられた。

このように不利な状況に置かれている人たちにとっても、「選択」や「行動」が有効な行動基準になると考えているらしい点に、ぼくは、朝井自身の「おりられなさ」を感じるのである。

『どうしても生きてる』の選択不可能性

とは言うものの、じつは、朝井の作品には、「選択・行動主義」が描かれてきたと同時に、よく見るとそれとぶつかる要素も描かれてきたと思う。それは、言ってみれば人が頭で考えてこうしようと選び取るものではなく、生きていく中で自分の意志とは関係なしにどうしようもなくぶつかってしまうような何かについてである。ここでは、それを選択しようのなさ、「選択不可能性」と呼んでおきたい。

例えば『武道館』では、主人公・愛子がアイドル活動をしながら、つねに「選択」について自問する姿が描かれるが、物語の中盤で彼女は幼なじみの同級生大地と付き合うようになる。そこでの、愛子の彼に対する感情は、それまで彼女が積み上げてきたさまざまな「選択」と対比される形で、このように感じ取られる。

自分の中にある、自分の知っているなにとも繋がらない感情。これまで選択してきたものが何も蓄積されていない真新しい地平に、突然立ち上った感情。(…)

(同前、256頁)

ここで、「これまで選択してきたもの」とされるのは、アイドルとして活動する中で出会った人々や仲間たちと積み重ねてきたさまざまな時間や経験である。愛子は、大地との関係について、そうした「選択」の数々を一瞬で崩してしまう、「なにとも繋がらない感情」に出あうのである。この「感情」は、結果的に彼女がアイドル活動をやめるという結末へとつながっていく。

他に、『武道館』の次に書かれたミステリー集『世にも奇妙な君物語』の最初の一編

「シェアハウさない」では、最新作『正欲』に登場する、特殊な性的嗜好を持つ登場人物たちの前身と言える、「異常性愛」の持ち主たちが登場するが、そのうちのひとりの口からも、彼らが持った「性愛」が「選びようのない」ものであるという認識が語られる。

「章大が動物を殺さないと興奮できないのも、真須美が老婆にしか欲情しないのも、本人が選んだわけじゃないんだよなあ。あんただってそうだろ？　あんた、自分の性癖を選び取った瞬間なんて、覚えてないだろ？」（『世にも奇妙な君物語』文庫版、71頁）

朝井の作品では、こうした「選びようのないもの」は、性欲や身体といったモチーフと重ねて描写される傾向がある。最近の作品では、『どうしても生きてる』で、この「選択不可能性」がはっきりと「選択」と対立する要素としてあらわれてきており、ぼく自身には、これは朝井が自ら書いてきた「選択・行動主義」の壁に突き当たったことを示しているのではないかと思えた。

「選びようのないもの」

『どうしても生きてる』は、『死にがいを求めて生きているの』の次に刊行された第3期の作品で、別々の人物が主人公となる6つの物語が描かれる。それぞれの短編の間には、これといった話のつながりはないが、どれも会社員や主婦といった中年の社会人が主人公であり、彼らの抱える鬱屈や見えづらい苦しみが描かれる点が共通している。

この作品の最後の一編「籤《くじ》」では、都内の大劇場「鏡泉ホール」のフロア長として働く、妊娠中の女性・みのりが「選択しようのなさ」にぶつかる経験が描かれる。みのりは、劇場で働きながら、妊娠6か月を迎え、夫の勧めで出生前診断を受けたところ、お腹の中の子どもがダウン症であったことが分かる。夫の智昭はみのりに子どもをおろすように言うが、不安がる夫とは反対に、彼女は自分もまた検査前は不安だったのに、いまは不思議と落ち着いていることに気がつく。それは「赤ちゃんに対する、そもそも受け入れる、受け入れないの問題ではないのだという実感」の「巨大」さを知ったからだった。みのりは、夫に次のように答える。

「智昭」

みのりは唇を割る。

「結果を聞いたからって、私たちは、何かを選べるようになったわけじゃないよ」

（『どうしても生きてる』274頁）


みのりは智昭について、いまだに「大通りの真ん中に立ち続けようと」しており、「真ん中以外の道の歩き方を、知ろうとすることすら拒んでいる」と考え、一方、彼女自身は、「ポコポコ、にょろにょろ、とんとん」というオノマトペであらわされる、お腹の中の子どもと生きる道を進もうとする。「選びようのないもの」が、このようにはっきりと「選ぶ」ことと対比される形で描かれたのは、朝井作品ではいまのところ他にない。その点で、ぼくは、『どうしても生きてる』は、朝井の作品でひとつのターニングポイントになる要素があると考えている。

こうした「選択不可能性」は、人が生きていく中でどうしようもなく突き当たってしまうものとして描かれており、この側面は、先に見てきた「おりられなさ」の重要性、いまを生きる人々が持つ見えづらい「もろさ」「弱さ」へのまなざしと微妙につながっている部分があると思える。

けれども、こうした朝井作品に見られる「選択不可能性」は、『どうしても生きてる』のような作品が描かれてもなお、いまだに十分には描かれきれていない点があり、いくつかの難点を抱えているとさえ思う。やはりまだ朝井の無意識的な「おりられなさ」が強く働いていると感じられるのである。

『どうしても生きてる』の難点

さて、『どうしても生きてる』は、朝井作品において、「選択不可能性」が「選択」と対比される形ではっきりと示された、という点では画期的なのだが、それでもまだこの物語は、他の点から見ると、「選択・行動主義」を脱していないように見えるのである。

「籤」では、夫・智昭をはじめ、みのりの職場でアルバイトとして働く青年・藤堂など、男性の登場人物らが、引いてしまったハズレくじを取り替えよう（選び直そう）とするような姿勢を持っていることが批判的に描かれる。ここでは、特権的に「選ぶ」ことができる立場にいる男性と、「選ぶ・選ばないではないもの」の側に立つ女性・子どもとが対比されている。

『どうしても生きてる』の難点は、この対比についてであり、これは一見すると、とくにひっかかりもない構図に思え、素通りしてしまいそうなのだが、みのりと夫・智昭の対比を別の観点から見ると、みのりも結局のところ、朝井がこれまで書いてきた通りの「選択・行動主義」に沿った人物像で描かれている、という問題が見えてくる。彼女は、この世の中には2種類の人がいると考えており、それは、「生きる世界が変わってしまったとき、自分を変えなくていい人」と、「その人のせいで、自分を変えなければならなくなる人」だという。彼女は、若い頃に母を亡くし、「生きる世界が変わってしま」った。以来、父と兄ら「男性たち」に家事を押しつけられ、「自分を変え」て生きざるを得なかった。

みのりは、男たちについて「引き当てた籤がどんなものでも、人生を変えてでも、それでもやるしかない状態に陥ったことがない人たち」と批判するが、ここでのみのり＝自分を変えなければならない側と、兄・父＝自分を変えなくていい側の対比は、『何者』で描かれたふたりの大学生の対比と重なるものがある。『何者』の中盤では、主人公・拓人が就活対策のために同級生たちと集まり、同級生のひとり瑞月が隆良という男子学生を批判する場面があるのだが、その場面では変わっていく「世界」の中で「行動」をしていこうと決意する瑞月と、これまでの自分のままで周囲から認められようとして、行動を起こさないでいる隆良とが対照的に描かれる。実際、『どうしても生きてる』で主人公・みのりが批判するアルバイトの青年・藤堂は、『何者』の隆良そっくりの人物である。

みのりは、母の死後、自分は父や兄の代わりに家事をやらなければならなかったが、その結果自炊ができるようになった、レベルの低い学校に通わなければならなかったが、そこで一番を取ることでたったひとつの推薦枠がもらえた、と言い、「人生を美しく包むものも、たくましく補強するものも、いつしかこの手でつかみ取っていた」と振り返る。つまり、不利な状況に置かれても、自分なりに「行動」を積み重ねることで、逆にこんないい結果になった、と言うのである。しかし、ぼくにはこれは、不利な状況に置かれた人の数少ない人生成功譚を一般化して聞かされるようなものであり、自己責任論すれすれの内容になってしまっていると思える。『どうしても生きてる』での「選択不可能性」は、朝井の作品の中では大きな意味を持つものだと思うが、これでは、それが十分に書き尽くされたとは言えない。

2種類の「選択不可能性」

この「選択不可能性」について、朝井の中で何か混乱があるのではないか、とぼくには思えるのだが、それは、よく読んでみると『どうしても生きてる』では「選択不可能性」が2種類描かれており、その両者が混同されているように読み取れるからだ。

まずひとつめは、先ほどから述べている、みのりがダウン症を持つわが子の側に立つこと、「選択しようのない」ものの側に立つこと、という意味での「選択不可能性」である。これに対してふたつめは、みのりが、自分はこれまでの人生で女性として不利な立場に置かれてきた。それは「選択不可能」で否応《いやおう》のないものだったが、だからこそ、自分は「行動」をして幸福をつかみ取ったのだ、という意味での「選択不可能性」だ。このふたつは、朝井は同じ「選択しようのない」ものに関する考え方と捉えているのかもしれないが、ぼくには、大きな違いを持つものに思えた。

前者は言ってみればみのりが、お腹の中にいるダウン症のわが子という、いわば自分の内部の「選びようのない」部分に立つ考え方であり、これは「選択」や「行動」といった小手先の手段で自分が変えていけるものではなく、人が生きていく中でどうしようもなくぶつかってしまう何か、について言いあらわしたものなのだと思う。突っ込んで考えれば、これは先に言った個人の中の「できない」という感覚とも近いものだろうという気がする。

一方後者は、否応なく、選択不可能的に不利な外部の状況に置かれてしまい、死に物狂いで「選択」や「行動」を重ねるしか道はない、という、むしろ「選択」や「行動」を助長する論理になってしまっている。

後者の考え方は、「選択不可能性」というよりは、「自己責任論」に近いような危うい部分があり、「選択」や「行動」を後押しする点で、やはり「おりられなさ」が滲《にじ》んだ発想に思える。

「選択・行動主義」のこわばり

「選択・行動主義」が、朝井作品の中にある他のすぐれた問題意識とぶつかってしまう状態とは、言い換えれば、どういうことなのだろう。

ぼくには、それが書かれた小説と、作者である朝井自身の考えとの間のズレとして見えてくることがあった。

初めて『何者』を読んだとき、最後になってようやく、主人公・拓人がホッと一息つくことができた、という「緊張」から「脱力」へのあざやかな変化が描かれていることに非常に強い印象を受けた。拓人は、それまで「何者かになる」という夢をあきらめきれないでいたが、同級生の理香の言葉を通して、何者にもなれない、「カッコ悪い自分」を受け入れて生きていくしかない、といういまの人々の普遍的な状況を、身をもって理解する。

ここで、拓人が理解する内容とは、前節で見た、人々の見えづらい「もろさ」「弱さ」への気づきであり、またそれは、人が生きる中で否応なくぶつかってしまう問題、「選択不可能性」として描かれているものだと思う。『何者』では、最後に主人公・拓人がそうした領域にぶつかり、自分もまたその中に身を投じていくことが描かれているのである。

しかし、ここまで見てきた「選択・行動主義」とは、言ってみれば、「緊張」から「脱力」へ、という流れを再び「緊張」の方に押し戻してしまう印象を受ける。『何者』でいえば、(実際はそうなっていないが)まるで拓人の結末部分の後に、中盤でのヒロイン・瑞月の隆良批判の場面を置いてしまうようなバランスの悪さがある。瑞月の批判については先ほどもふれたが、『何者』の中盤、就活仲間の集まりで、就活を馬鹿にする隆良に対して、瑞月が反論し、「行動」の重要性を説く箇所だ。ここでは、それまで比較的おっとりとした人物として描かれた彼女が、「もう子どもではいられない」という認識を背景に、隆良に猛烈な反論を行う。

朝井作品のすぐれた要素と、「選択・行動主義」との間に感じられるズレは、ぼくにはちょうど、この『何者』の最後の場面での拓人の「脱力」と、中盤での瑞月の「緊張」との間にある、トーンの落差と重なり合って見えた。

『何者』は、結末が拓人の場面で終わっているので少々意識しづらいが、『どうしても生きてる』などは、まさに拓人の「脱力」の後に瑞月の「緊張」を置いてしまう、転倒した感じを受けるのだ。

朝井の登場人物たちが経験する「選びようのなさ」への気づきは、彼らを「選ぶ」ことよりも一段深い領域に連れ込んでいる。朝井の小説は、そのことの「重み」に今後目を向けるべきではないのか。

「世界」からのおりられなさ

さて、ここまでが長くなってしまったが、朝井の作品を読んでいて、無意識の「おりられなさ」があらわれている部分がもうひとつある。これも、先の「選択・行動主義」とつながっている要素だと思うのだが、いわば「世界からのおりられなさ」とでもいうものだ。

それは、人が自分が生きる場である「世界」というものに対して抵抗しようとしたり、その外へ出ていこうとしたりすることが否定的に描かれ、誰も「世界からはおりられない」という主張が展開されるという内容だ。

朝井作品では、第3期に入り、社会問題やマイノリティのテーマが扱われるようになってきているが、その場合も、社会運動に従事することや自分が生きる環境から出ていこうとする、といったことは、しばしば個人が承認欲求のためになす行為として描かれたり、他者に対する「正しさ」の押しつけ、という傲慢な行為として描かれたりする。

第3期のはじめの作品である『死にがいを求めて生きているの』にそうした側面を見ることができる。『死にがいを求めて生きているの』は、『桐島』などと同じく各章で視点人物が変わる小説であり、植物状態のまま入院している智也と彼を看病する幼なじみの雄介というふたりの青年の関係性を軸に、年齢も職業・立場も異なる6人の人物の視点から、「平成」という時代を生きることの見えづらい痛みが描かれる。

この作品では、物語の中盤から、SEALDsなどの2015年の安保法制反対の運動を行った、実在の学生デモをモデルにしたと思われる、政治的なデモや貧困支援の活動に参加する学生が登場するのだが、彼らはいずれも自己アピールのためであったり、自分の生きがい探しのためにそうしている、という浅い人物として描かれてしまう。例えば、第6、7章の視点人物となる大学生の与志樹は、同級生たちと政治的な主張を音楽にのせてデモをする団体を運営している人物だが、彼の運動は、高校時代に周囲から承認を得られなかったことの反動として描かれている。彼はデモ活動の始まりを次のように回想する。

高校時代の同級生から、反応があった。
当時は自分を見下していただろうクラスメイトから、いいねがあった。自分を無視していた人たちが、視線を向けてくるようになった。
見返してやりたい。そんな気持ちの萌芽《ほうが》が顔を出した。
（『死にがいを求めて生きているの』２３３頁）

また別の章では、登場人物たちの会話の中で、世を捨て無人島で暮らした久留米老人という人物について言及されるのだが、この老人についてもその娘である女性によって、無人島で暮らす動機は「生きがい」探し、もしくは「常識」の中で生きる人たちに一矢報いるためであったと語られる。

他の作品では、最新作の『正欲』でYouTubeチャンネルを始める不登校の小学生らの動画制作がやはり承認欲求のためにやっていると描写された上で、その活動が失敗に終わる顛末《てんまつ》が描かれたり、テレビのニュースで、同性愛を描くドラマのプロデューサーが、自分が制作したドラマを通して社会に新たな価値観が広がることについて、「やりがい」を感じると話し、それを見ていた主人公があきれ果てるという場面があったりするなど、やはり「世界の外に出る」ことの不可能性や、社会問題に取り組む行為や多様性を称揚する主張が「承認欲求」を背景にするものとして描かれてしまう。

渾然一体となったふたつの「正しさ」

こうした社会運動やマイノリティの主張を「承認欲求」と結びつけることに加えて、最近の作品では、しばしばマイノリティが社会運動などで主張する「正しさ」と、マジョリティが振りかざす「正しさ」とが共に、他者に対して自分が考える「正しさ」を押しつけるものとして、同列に扱われたり、両者が渾然一体となって描写されたりする傾向も見られる。

例えば、『死にがいを求めて生きているの』では、物語の主要人物である雄介という青年が、生きがいならぬ、「死にがい」を求めて、次々に突飛な行動を繰り返す人物として登場しているのだが、彼は一時社会運動などにコミットしながらも、露骨に女性差別的な発言をするなど、マジョリティ的特徴とマイノリティ的特徴とが渾然一体となった人物として描かれている。こうした傾向は、『正欲』で特殊な性的嗜好を持つ世に知られぬ少数派の目から、いまの世の中のＬＧＢＴＱなどの多様性礼賛の主張が、マジョリティの振りかざす「正しさ」と同じ排他的なものとして、批判されてしまう点にも共通している。

結末部分では、もうひとりの青年智也が、「死にがい」を求めて、やっていることや関心をコロコロと変えていく雄介に対して心の中で次のように独白する。

この世界のルールから逸脱したつもりで過激な思想に身を委ねたって、突飛な宣言と共に島に渡ってみたって、そんなものは絶望ごっこにすぎない。世界のルールから逸脱しているように見える、という、結局は世界のルールありきの行動に瞬間的に酔っているだけだ。

俺たちは二人とも、違うまま、脱落できない世界の中で生きるしかないんだよ。

（『死にがいを求めて生きているの』４７１頁）

雄介は、社会運動に取り組んでいたかと思えば、自衛隊に入ると言ったり、はたまた「過激な思想」に傾倒して、無人島へ渡ろうとしたりするなど、「死にがい」を求めて突飛な行動を繰り返す異様な人物として描かれているのだが、彼に対して主人公・智也は、自分たちは「脱落できない世界」で生きていくしかないのだ、と心の中で呼びかけている。

ちなみにこの作品でも、主人公の智也はあるマイノリティ的な設定を持つ人物なのだが、彼も社会運動などには距離を置きつつ、最後は、「覚悟は決まった。必要なのは、動く身体だけだ」と独白し、この「降りられない世界」に再び参加する決意を宣言するなど、「行動」重視の人として描かれてしまっている。

そもそも朝井作品では、『桐島』をはじめ、初期から主人公らが自分が生きる「世界」に対して、何らかの違和感や苦しみを持ちながらも、それに抵抗したり、「世界」の外側へ出ようとする、といったことがある意味で「不可能」なこととして描かれてきた。例えば、『桐島』では、映画部に所属する前田が自分の高校を「世界」として捉え、その中で生徒間格差による人間関係のせいで嫌な思いをしながらも、どうしようもない、という諦観を持つ姿が描かれた。こうした描写は、それ自体としては、ひとつの鋭い現実認識として意味があったと思うのだが、最近の作品では、自分が置かれた社会に抵抗しようとする人たちや、その外へと出ていこうとする人々への揶揄に近い形で描かれてしまう傾向があり、先の「選択・行動主義」と重なる問題が顔を見せている。

ぼくは、朝井の最近の作品にあらわれている、このような側面は、端的に言って社会運動やマイノリティといったモチーフについて、ズレたことを書いてしまっていると思え、最近の彼の作品の欠点になっていると感じる。また、これは、別の角度から考えれば、「選択・行動主義」と同じく、朝井作品の他のすぐれた要素とも、ぶつかってしまう部分があるのではないかと思う。

なぜこのような書き方になってしまうのか、「世界からのおりられなさ」の背景にあるものとは何なのだろう。

「正しさ」批判と相対主義

ぼくは、こうした描写がなされてしまう背景には、最近の朝井作品で大きな要素となっている、「正しさ」批判と相対主義というふたつの側面が関係していると思える。

まずは、「正しさ」批判について。そもそも朝井作品では『桐島』をはじめとした初期の作品から、主人公が「正しさ」について疑問や違和感を持つ姿がしばしば描かれてきた。『桐島』ではバレーボール部のキャプテンを務めていた桐島の「正しすぎる」姿が、いつしか部活内で「ぽかんと浮かんで」しまったことが、同部員の風助の回想によって描かれた。『武道館』では、主人公・愛子がいまの時代に誰もが正しいと思う選択などない、と考える姿が描かれた。こうした「正しさ」への違和感や忌避は、さまざまな形で描かれてきたが、第3期の『何様』以降、徐々に扱われるようになった社会問題やマイノリティのテーマと合わさり、『死にがいを求めて生きているの』や『正欲』での社会運動や多様性礼賛の風潮への批判につながったと思える。

次に、相対主義についてだが、こちらは、第2期の『武道館』あたりから顕著に見られるようになった傾向で、「正しさ」に対置される考え方として、主人公がいまの時代に絶対的なものなど存在しない、という相対主義が肯定的に描かれるようになった。先にふれた通り、『武道館』では、愛子が動画サイトを見て、どの動画も自分から等距離にあると感じられ、一番がない、と考えるようになる姿が描かれた。

このふたつの要素を踏まえると、社会運動やマイノリティの主張といったことは、「正しさ」の基準がない現代において、自分たちが考える「正しさ」を他者にまで強制しようとする存在と映り、その「押しつけ」の点でマジョリティが振りかざす「正しさ」と同じ形になっていると理解されるのだと思う。

けれども、かりにも小説で現実に起きたことなどもモデルにしながら、「正しさ」について物語を書こうとするときに、このような「正しさ」理解で十分と言えるだろうか。ぼくには、現時点での朝井の理解には欠けているものがあると思う。

「どっちもどっち」の誤り

以前ぼくは、ヘイトスピーチに対抗する「カウンター」と呼ばれる活動を続けてきた野間易通《やすみち》の文章に、いま議題に挙げられる「正しさ」に関して教えられることがあった。野間は、自らが関わった、新大久保でのヘイトデモを機に始まった反差別の運動「レイシストをしばき隊」について書いた『実録・レイシストをしばき隊』(河出書房新社、2018年)で、カウンター活動についてしばしば「どっちもどっち」と言われてきたと書き、その背景には人々の間にこのような問題を「正義と正義のぶつかりあい」と捉える思考が存在していると指摘し、しかしそこで言われる「正義」の用法は誤った理解に基づくものだと述べている。

野間は、反差別の運動が根拠としている「正しさ」は、「人それぞれの正義」などではなく、何が正しいかについて異なる考えを持つ各個人が互いの自由や権利を侵害しないために共有する、各人の正しさよりも上位に置かれるような、「法」に近い正義、「公正」と呼ぶべき正義なのだと言う。この野間の言う「正義」は、政治学者のジョン・ロールズの概念「公正としての正義」を踏まえた考え方であり、野間は、これと個々人が自分の内部で持っている判断基準としての「正しさ」を「善」と言い換え、「正義＝公正」とは分けて捉える。差別はなぜいけないのか、野間の考えはこうである。

（…）では差別はなぜいけないか。それが不公正だからである。ヘイト・スピーチやレイシズムに反対する理由は、基本的にこれしかない。あるいは、そうしたことがまかり通ると、民主主義で公平公正に運営していきましょうと合意しているこの社会そのものが破壊されるからである。

（『実録・レイシストをしばき隊』336頁）

さらに野間はいくつかの箇所で、こうした「公正」や差別といったことを考える上で重要なのは、社会の中での非対称性であることも強調している。差別が通常の悪口や暴力と異なるのは、社会に存在する力の不均衡、非対称性を利用して個人・集団に甚大な被害をもたらす点にあり、こうした問題を「どっちもどっち」という相対主義的な見方で捉えることは誤っているということだ。

ぼくは、もし小説の中で社会運動といったことについて書こうとするなら、最低限、このような「正しさ」の理解がまずは必要になると思う。たしかに、個々の社会運動やSNSでの動きには、論点がズレているだとか、間違った相手を攻撃してしまう、といった浅はかな場合も見受けられるが、とはいえ、いま、さまざまな運動が起こることの根本的な部分には、自分個人の正義を相手に押しつけるということではなく、自分にも他者にも生きる上で必要となる社会の「公正さ」について問題提起している一面があるのだと思う。

社会との格闘のなさ

朝井作品について、このような観点から読み解くことは、すでにいく人かの書き手によってなされている。

ノンフィクションライターの濱野《はまの》ちひろは、「性的妄想の行方―朝井リョウ『正欲』を読む」(『新潮』2021年5月号、新潮社)という文章で『正欲』に登場する青年・大也による作中での多様性批判には賛同できないと述べ、その理由を、大也が「性的存在として現れるときに、彼にとっての性的対象との関わりを含め、自身と社会との間での格闘があるとは感じられなかったからだ」と書いている。

『正欲』は、2021年に書き下ろしの形で刊行された、朝井のいまのところ一番新しい作品である。多様性が礼賛される世の風潮を背景に、不登校の子を持つ父親、多様性をテーマとする大学のイベントにスタッフとして参加する女子大学生、自分の性的嗜好がいまの多様性礼賛の言説には含まれていないと考える男女など、「みんな違ってみんないい」はずの時代の中で言葉にされることのない苦しみを抱えて生きる人々の姿が描かれる。

この作品には、大也をはじめ、自分の性的嗜好が多様性礼賛の言説に含まれていないと考える人物として、特定の物を性的対象とする、「対物性愛」の持ち主たちが登場し、彼らの口から現在の多様性礼賛の風潮への批判が出てくる。これに対して上記の濱野の指摘は、『正欲』の大也がこの対物性愛の持ち主ではあっても、彼の性的対象は〃物〃なのだから、権利や虐待の問題は起こりえず、いわば社会と闘わなくても済む「平和」な立ち位置にいるからそんな発言ができるのではないか、ということを踏まえた意見だ。

濱野は、一方で大也が批判する運動に含まれるLGBTQは、解決すべき法的問題が多くあり、「当事者となってきた人々は、誰かを愛し、欲望することの実践のなかで、社会と格闘せざるをえなかった」と語る。これはその通りとしか言いようがない。朝井は『正欲』で多様性礼賛の運動に従事する人々としては一部の考えの浅い大学生たちしか登場させておらず、こうした「格闘せざるをえなかった」人たちの姿はまったく描かれない。

また、評論家の大塚英志は、『感情化する社会』（太田出版、２０１６年）で、『桐島』をスクールカースト文学の一作品として取り上げているが、ここでも朝井の小説で「抵抗」が抜け落ちていることが批判的に提起されている。大塚は、２０００年代以降のスクールカーストは、「一億総中流化」といった日本社会の変化を経てのちの80年代に起きた「水平の革命」に対し、その揺り戻しとして再び社会に起きた格差・階級の復興と連動する動きであり、「新自由主義経済下で学校の外で進んでいる再『階級』化への脅えなり予感なりへの適応でもあった」と考える。その上で、大塚は、『桐島』はスクールカーストという制度を「『俯瞰《ふかん》』はするが、『制度』を疑ったり、反転させようとしない。階級闘争は存在しない」と述べる。

はじめにあるのは「世界」か「自分」か

濱野と大塚によって指摘されていることは、どちらも朝井の作品では人が社会もしくは「世界」に抵抗せざるを得ない場合があるという観点が抜け落ちてしまっている、ということだと思う。このような側面は、翻って見ると、ぼくが最初に『何者』を読んで感じた

「できない」ことの欠落と重なる部分がある。

朝井は、『新潮』での小説家の村田沙耶香《さやか》との対談で、自分は「はじめに世界というものがあって、次にその中で生きる自分の存在が見えてくる」「一に世界、二に自分」という認識を持っている、と話している。

朝井 （…）今回の『正欲』という作品では悲しみの感情が目立っていると思いますが、これも一に世界、二に自分という順序だからこそ、世界の側に自分が擦り合わされる形で主体的な感情が出てくるんだと思います。

（「［対談］『速い怒り』に抗《あらが》って」『新潮』2021年5月号、165頁）

このくだりは、朝井が村田の作品を「まず自分があり、次に世界がある」と、彼自身とは逆向きの認識から生まれたものだろうと分析する中で語っている言葉であり、ぼくには、この朝井自身の自己分析は、多くの朝井作品の内容をうまく言いあらわしていると思えたし、彼がこのような認識を持っていること自体はひとつの世界認識として興味深いとも思う。また、濱野や大塚が指摘する、「社会との格闘のなさ」や「制度への抵抗の欠落」は、

『桐島』や『何者』のように、そんな抵抗できるわけないよ、という当事者が抱くやるせなさ、無力感として描かれる分には、ある種の説得力があった。

しかし、やはり最近の『正欲』などの作品を読むと、それと同じ感覚でもって社会運動や多様性といったテーマを描いてしまうことは無理があるし、そもそも『桐島』での「序列」や『何者』での「就活」にも、それを「社会」の面からより立体的に捉える観点は必要だったのかもしれない。

朝井としては、相対主義や「正しさ」批判は、自分にとっての大事なテーマの一部と考えているのかもしれないが、ぼくには、前節で見てきた、いまを生きる人々の「弱さ」へのまなざしや、「選択しようのなさ」といった要素の方が重要だと思える。

また、「選択・行動主義」と「世界からのおりられなさ」が朝井にとって課題となってしまっているのは、単に、マイノリティや社会問題を描く上でこれではおかしい、というだけでなく、そもそも朝井作品の中で描かれてきた重要な要素とぶつかってしまうからだという点は強調しておきたい。「弱さ」へのまなざしにせよ、「選択不可能性」にせよ、朝井作品で描かれてきた中核的な要素には、人が生きる中で「そうならざるを得ない」という、ある種の動かしようのなさへの気づきがあった。

「選択・行動主義」や「世界からのおりられなさ」というふたつの無意識下での「おりられなさ」は、今後意識化された上で作品内に組み込まれていくべきではないかと思う。

さて、このような課題を抱えた朝井作品は、これからどのように書き継がれていくだろうか。そうした今後の展望を考える上で取り上げてみたい要素がある。それは朝井がデビュー作以来書き続けてきた、あるテーマだ。このテーマは、朝井の作品の中核的な要素である「弱さ」や「選択不可能性」といったものと重なる、彼の作品で最も重要な要素と思えるのだが、それを踏まえたとき、やはり朝井は今後いまのような不十分な形での相対主義、「正しさ」批判を続けることはできないのではないか、と思えてくるのである。

3 「好き」対「世界」

「好き」「楽しい」への距離感

朝井作品には、ずっと書き継がれてきた重要なテーマがある。それは、「好き」と「世界」の対立である。

大学を出て間もない頃に初めて朝井リョウの小説を読み、一番気になったことのひとつが、登場人物の「好き」という感情の描き方だった。最初に書いた通り、朝井の作品には登場人物たちの辛辣な言葉や予想外の「オチ」など、読んでいてキツい印象を受ける要素が少なくないが、その一方で、しばしば登場人物らの「好き」や「楽しい」といった感情が素直で、率直な言葉で語られることがあり、この対比が印象に残った。

例えば、『桐島』で語り手となる高校生のひとり、映画部の前田の描写にそうした対比を見ることができる。前田は、学校の小さな映画部に所属し、武文をはじめとする映画仲間たちと作品を撮り、学外の映画のコンクールで特別賞を受賞する。しかし普段の彼は、生徒同士で地位がランク付けされるスクールカーストの中で、日々窮屈な思いをして過ごしている。体育の授業のサッカーでは「上」の生徒の間でのみボールが回され、目立つ女子生徒からは自分たちの映画のタイトルを嘲笑されるなど、生徒間では相対的に低い扱いを受けている。

まず、彼の語り口にある次のようなトーンに目を向けておきたい。彼は、生徒間の格差について、心の中でこう語る。

自分は誰より「上」で、誰より「下」で、っていうのは、クラスに入った瞬間になぜだかわかる。僕は映画部に入ったとき、武文と「同じ」だと感じた。そして僕らはまとめて「下」なのだと、誰に言われるでもなく察した。察しなければならないのだ。

（『桐島』文庫版、91頁）

この前田の語りは、自分ではどうすることもできない学校での状況について、あきらめと共にどこか淡々と分析するような語り口になっている。彼は、自分が撮った映画作品がコンクールで賞を取り、学校の集会で表彰されるときも、「（人の目にさらされることが）嫌いになってしまった」と感じたり、中学時代に交流があったが、いまは「上」のグループの中にいる女子生徒かすみについては「もうどう話しかけていいかもわからないし、きっと、話しかけたら駄目なんだろう」といった言葉が出てきたりする。

冷めきった人物たちが持つ熱さ

前田のこのような語りからは、彼がスクールカーストの中で、人前に出ることも、思うままに率直に振る舞うことも、またかつての旧友に話しかけることもできなくなってしまったことが分かる。こうした部分だけを見ると、もはや彼はあきらめきった人物のように見えるのだが、その一方で、彼の好きなもの、映画について語られる箇所は、大きく印象の異なる語りになっていることに注目したい。

次の部分は、彼が一緒に映画を作っている武文の言葉を受け、映画制作について独白する場面だ。

「んでさ、次はさ、どんなんやろっか」

これは僕らの合言葉だ。うわっ、と、体中で、わくわくする気持ちをめいっぱい詰め込んだ粒がぱちんぱちんと弾ける感触がする。どんな作品を作るかという話は、世界より大きな扉を開く呪文になる。

（同前、１０６頁）

また、次のような言葉も出てくる。

僕らには心から好きなものがある。それを語り合うときには、かっこいい制服の着方だって体育のサッカーだって女子のバカにした笑い声だって全て消えて、世界が色を持つ。

（同前、119頁）

彼の口から、映画は「わくわく」「ぱちんぱちん」といったオノマトペ、また「心から好き」という率直な言葉でもって語られる。ここでの映画は、彼が置かれた窮屈な「世界」を吹き飛ばす、または世界に失われた「色」を取り戻すようなものだと言われている。

ぼくは、『桐島』で、諦観が重く描かれる一方で、このように時折スッと「好き」なものがあらわれ、それもまた実感を込めて描かれていることに強い印象を受けた。

この「好き」という言葉は、朝井作品ではずっと書き継がれてきた重要なキーワードと言えると思う。最近の作品では、「好き」という感情が「〜したい」という欲望のテーマとして発展し、第3期の『どうしても生きてる』や『正欲』などで書き継がれてきている。

朝井の小説を読むと、最初は、登場人物らの斜め上から俯瞰するような視点や、辛辣な言葉が印象に残るのだが、読み進めていくと、じつはその冷めきった人物は、元から冷めているわけではなく、以前は自分の中に「好き」という主観的で「熱い」要素を強く持っていた人物らしい、ということが分かってくる。しかし、朝井が描く人物たちは、自分が生きる状況の中で、いつしかそうした主観性のようなものを封じ込めざるを得なくなる。

ぼくが初めて朝井の小説を読んだ頃に感じたのは、これほどしらけた様子の登場人物たちの中に、じつは「好き」という直球の前向きさが封じ込められている、ということへの意外さと、自分の中にそうした要素があるのなら、それに沿って好きなように生きればいいのに、という素朴な疑問、さらに、そう思いつつも朝井作品の登場人物らが自分にとっての「好き」と距離を取ってしまうことへの妙な納得感だった。

朝井作品のこうした側面からぼくの頭に浮かんでくるのは、「好き」を封じ込めて生きるとはどういうことなのか、また、なぜそうせざるを得なくなるのか、ということだった。

「好き」と「世界」の対立

当時『桐島』を読み進める中で思ったのは、「好き」を封じ込める、ということの背景に、「好き」と「世界」の対立が描かれている、ということだった。

朝井作品では、主人公らが抱える「好き」と、彼らが「世界」と呼ぶ、自分たちが生きている空間、周囲の人たちとの関係やルールといったものが対立しているように描かれるのである。

例えば、先の『桐島』での映画部・前田の場合、彼は、自分が通っている学校を「世界」と呼んでいる。前田は、体育の授業でサッカーの練習中に「上」の男子たちだけがボールを回す中、ボールを取れないまま、バタバタと走る友人の武文を外野から見て、次のように感じる。

もっと堂々と走ればいいのに、せっかくこんなに広いグラウンドなんだから、もっと自分はここだってアピールして、ボールを待てばいいのに。
そんなふうにできるならとっくにしてるよな。(…)
本当は、世界はこんなにも広いのに、僕らはこの高校を世界のように感じて過ごしている。

(同前、101〜102頁)

ここでの「世界」とは、単に学校という場所を指しているだけでなく、学校生活の中で彼らの行動を束縛している、生徒同士の順位付け、スクールカーストに支配された空間を意味している。前田はその中で窮屈な思いをしているわけだが、ここで目を向けたいのは、前田が元々は「楽しい」とか「好き」とかいった感情を持っていた人物であり、しかしそれが高校に入ってからこの「世界」と遭遇することにより打ち砕かれた、という経験が描かれている点だ。次の場面は、前田が自分の中学校時代を回想する箇所である。

走るのは速かった。数年前まではそれで良かった。強いボールを投げられなくても、ドッジボールで最後のひとりになれれば英雄だった。毎年リレーの選手にも選ばれていたし、外で遊ぶことも好きだった。いつからそれだけじゃ足りなくなってしまったのだろう。

小学校、中学校と持ち上がりだったのでみんな仲が良くて、僕はそれなりに「上」のグループに所属していた。（…）楽しいことが大好きだった。（同前、109頁）

前田は、中学時代は、放送部でDJをやったり、映像を撮ることで他の生徒たちと交流があったりしたことを振り返る。かつての彼は「楽しいことが大好きだった」のである。しかし、こうした「好き」「楽しい」といった感覚とのつながりは、高校に入ると途切れてしまう。

より広い「世界」の多様性

とはいえ、彼には、まだひとつだけ「好き」と言える要素が残されていることが描かれる。それは先に見た通り映画作りである。

前田にとっての映画は、彼を学校という狭く窮屈な「世界」から、その外にあるもっと多様な要素がひしめく広い「世界」に連れ出してくれるものとして描かれている。彼は、映画部の仲間の武文と共に新作の撮影を始める中で、学校の「外」にある、より広い「世界」を実感し始める。次の場面は、撮影を始めた前田が放課後の空を見て、自分が住む町について想像をふくらませる箇所だ。

> （…）雲は白だったり薄いオレンジだったり真っ赤だったり、部分部分で色を変えている。この町に生きるすべての人の、今日一日に起きた楽しかったこと、辛《つら》かったこと、幸せだったこと、悲しかったこと、何もかも全部を吸い込んだらきっとこういう色になるんだろう、と僕は思った。
>
> （同前、121頁）

また、彼の目には、学校の内部についても、それまでの場面とは違った光景が見え始める。放課後、野球部やサッカー部が立てる土埃《つちぼこり》、ソフトボール部のかけ声、ブラスバンド部の演奏、そういった多様な要素が目から耳から入ってきて、前田は次のように感じる。

（…）僕はこの状況をとても好きだと思った。今僕が見ること、聴くことのできる全てが、それぞれの目標に向かって生きているように思えた。それはとても美しいことだった。

（同前、１２２頁）

「序列」をベースにした普段の学校空間が「色」のない、単調な「世界」だとすると、その外にある「世界」とは、それぞれの人が別々のことに打ち込んでいる、より多様性のある空間と言える。

『桐島』では、学校のカーストという「世界」が中学校までの彼の「好き」を打ち砕くが、それでも彼には映画が残っており、映画が彼を悩ませる「世界」を吹き飛ばしてくれる「救い」として描かれるのである。

「好き」か「世界」か――選択の物語

この「好き」と「世界」の対立とは、一体どういう構図なのだろうか。

『桐島』の文庫版に収録された、「東原《ひがしはら》かすみ～14歳」という短編の物語を通してもう少し考えてみたい。

前田に見られた「好き」と「世界」の対立は、この短編に主人公として登場する、彼の旧友かすみの場合では、より切迫した形で描かれていると思える。

この物語は、『桐島』が刊行されてから2年あまり後、ウェブ上で発表され、のちに文庫版に収録されている。本編では脇役として登場していた、女子生徒かすみが中学2年生だったときの出来事が描かれており、彼女が小学校時代から親子ぐるみのバドミントンの集まりで交流があった、友未と美紀というふたりの旧友が登場する。

3人は、いまはそれぞれ別々の中学校に通っているが、時折バドミントンの集まりで顔を合わせる。友人のひとり美紀は私立中学校に進学し、1年生のときからメイクを始め、「大人っぽい」子たちと仲良くするようになる。一方もうひとりの友人である友未は、中学で入ったバドミントン部で浮いた存在となり、まわりから無視されたり、仕事を押しつけられたりするようになる。このふたりの違いは、スクールカーストでの「上」と「下」の差として読むことができる。

美紀は練習試合で友未と一緒になったとき、そうした友未の状況を目にし、以来彼女を無視するようになる。美紀は憧れのモデル「アミリー」の真似《まね》をしたり、まわりの言うことに合わせて「好き」なものをコロコロ変えたりする人物として描かれている。

この短編では、そんな美紀の行動を受け、では主人公・かすみはどうするのか、ということが問われている。かすみもまた、好物のヨーグルトであったり、映画という同じ関心を持つ同級生の前田であったり、友未であったり、自分にとっての「好き」にあたるものとの関係が、クラスメイトなど学校での新たな人間関係と天秤《てんびん》にかけられている側面がある。

前田の章では、映画という、彼にとっての「好き」が、彼自身を「世界」から救い出してくれる存在として、ある種の「たしかさ」を持って描かれていたのに対し、このかすみの物語では、「好き」自体が「世界」と天秤にかけられ、下手をすると彼女自身の手によって破棄されかねないような危うさがある。

しかし、最後にかすみは、友未に、これからも自分は彼女と普通に話をするつもりだということを伝える。かすみは、自分はヨーグルトが好物だが、それは誰かが好きだから自分も食べる、というわけではないと次のように話す。

「友未が言ってくれたんやん、おいしいんやし、好きなんやから、食べればいいやんって。私、誰かが好きやからって、ヨーグルト食べたりするわけやないもん。自分が好きやから、食べるんやもん」

（…）

「だから、友未とも普通に話すよ」

（…）

「好きやもん、友未のこと。私が友未のこと好きやから、これからも話すよ」

（同前、237頁）

ここでは、美紀がアミリーという憧れの人物が何を好むかによって自分の好きなものを変えてしまうのに対して、かすみは、「自分が好きだから」ということの重要性を認識する姿が描かれている。最後彼女は「自分が好きだから」というこの考え方に沿って、それまで交流がなかった前田に話しかけようと一歩を踏み出す。

この短編では、かすみが、「好き」と「世界」の対立の中で、なんとか自分の「好き」と付き合っていく道を選び取る姿が描かれるのである。

前田に加えて、かすみの場合を読んでみると、「好き」と「世界」の対立という構図は、「好き」か「世界」かのどちらを選ぶか、という選択の物語にもなっているように思えた。「好き」と「世界」の対立は、他の朝井作品でも描かれており、作品によって必ずしも明確ではないが、多くの場合、そこには選択のテーマが含まれているように思う。

ぼくは194頁で、朝井が描く「選択・行動主義」という側面には同意できないと書いたが、この「好き」か「世界」か、というかすみの物語で問われている「選択」は、「選択・行動主義」とは何か違う、より深く考えさせられる要素が含まれているように感じた。

人を支える原初的な感情

朝井作品で描かれる「好き」は、単なる個人の嗜好としてではなく、「好き」「楽しい」「おもしろい」といった言葉であらわされる、その人物の核になっているような、原初的な感情として描かれている側面がある。

例えば、『桐島』の前田にとって映画は、彼の「血液」を「沸騰」させるものだと描写され、彼をスクールカースト的な人間関係から救い出してくれる要素だったが、それは、最終章の別の登場人物・宏樹の目からも、ある種の「ひかり」として感じ取られる。

2作目『チア男子!!』では、主人公の青年・晴希が大学生になり、幼なじみの一馬《かずま》とチアリーディングを始める姿が描かれる。チアを始めるとき、一馬の口からは「一発おもしろいことしようぜ」という言葉が発される。彼らはふたりとも、小学生の頃から、「おもしろいこと」を探し、イタズラなども「おもしろい」かどうかが大切だったと描かれる。ふたりが大学生になり、チアリーディングを始めようとするときにも、一馬の口から「おもしろさ」が動機として語られるのである。ここでの「おもしろい」という率直な言葉で語られる感覚は、『桐島』での「楽しい」という感情とも重なるが、この要素が幼少期から現在まで彼らの行動を支えるものとなっている。

第2期の作品『ままならないから私とあなた』では、主人公の雪子が恋人への「好き」という気持ちを決して数値化できないものだと捉えたり、また、中学生の頃に好きだった体育の授業でのバスケットボールやテニスについて「単純に楽しい、楽しいだけ、それ以外何の意味もないみたいなことが、意味のあるすべてのものを一気に飛び越え」「どれだけ意味のあるものよりも気持ちを明るくしてくれたりもする」と述べたりする場面があり、雪子にとって「好き」という感情が自分を支えてくれる重要な要素として捉えられていることが分かる。この作品では、そうした主人公の考え方に対して、雪子の親友であるカオルの持つ極端な合理主義や、すべてのものが変わっていくと考える時代理解とが対置されているが、最後まで、「好き」の非効率性が肯定的に描かれている。

こうした「好き」のテーマは、第2期の兼業作家時代の頃から第3期にかけて、徐々に「〜したい」という「欲望」のテーマに移り変わってきているように思える。

ざっと挙げてみると、第2期では、『武道館』で主人公の愛子が抱く恋人・大地に「さわりたい」という感情、『世にも奇妙な君物語』に登場するシェアハウスの住人らが持つ異常性愛、『ままならないから私とあなた』の主人公・雪子が気がつく、自分の身体のコントロールできない部分への認識、第3期『何様』の「むしゃくしゃしてやった、と言ってみたかった」での主人公正美がそれまでの自分の優等生的な生き方に反し、「してみたかった」ことをしようとする展開、さらに最新作『正欲』でメインテーマとして取り上げられた性欲など多くの例が見られる。

これらの「欲望」も、登場人物たちにとって、彼らの生を支える核になっている要素だと言える。

こうした「好き」の要素を振り返って思うのは、それが人を根本から支える基本的な要素として描かれると同時に、どこか自分ではコントロールしきれない、変更がきかないものとして描かれているということだ。

例えば『ままならないから私とあなた』では、主人公・雪子の「好き」や「楽しい」という感覚や、自分の身体のコントロールがきかない部分への気づきといったことが描かれたが、これらはいずれも、効率とか合理性とかいった観点から切り捨てることはできない、自分が取捨選択できるものではないことが描かれる。

この描写は、その後第3期の『スター』に引き継がれている面があり、『スター』では、主人公の師である映画監督の鐘ヶ江が、滅びゆく映画館へのこだわりを彼に語り、自分でも理屈に合わないと分かっているが、映画館を守るために自分の監督作品を配信形式では公開しないつもりであることを打ち明ける。鐘ヶ江はそれを「心の問題なんだ」と言い、すべてのものが変わりゆく時代の中で、人々が自分の心や感性を把握する過程を待てなくなってきている、と語る。彼は、自分が配信を理屈では正しいと思いながらそうしないのは、それが自分の「心」に関わる問題だからであり、「仕方ないんだ」と言う。ここでの「心の問題」と書かれていることも、個人の中の変えようのない部分と「世界」の間で起きる摩擦についてであり、「心」という言葉と「好き」という要素の近さを思わせる。

こう見てくると、「好き」という要素は、朝井作品の中核的な要素である「弱さ」へのまなざしや、「選択不可能性」といったものと、その選びようのなさ、変えがたさの点で重なり合ってくることが分かるのではないか。

対立の片側にある「好き」とは、こうした自分の内部にある、自分自身でも変えがたい感性なのである。

「世界」とは何か

一方、では「世界」とは何なのか。

朝井作品での「世界」は、作品によって描かれている内容が微妙に違っているので、「好き」の場合のように一言で内容を説明するのは難しい部分があるが、あえてまとめてみると、主人公が生きる空間や社会で支配的に作用している、ルールや風潮のようなものを「世界」と呼ぶことができると思う。

例えば、先ほどからふれている『桐島』では、映画部の前田やかすみにとって学校でのスクールカースト的な順位付け、またそれをもとにした人間関係が彼らの行動を束縛するものとして存在していた。その後の第2期の作品『世界地図の下書き』でも、児童養護施設で暮らす主人公の小学生たちが学校で「背の高い」同級生たちからいじめを受ける、といった小学校内のスクールカースト的な人間関係が描かれている。この小説では後半、主人公太輔と同じ施設で暮らす少女・麻利《まり》が小学校のクラスメイトの朱音《あかね》に好意を抱き、そのことを他のクラスメイトたちからはやし立てられ、結局朱音本人から、自分は麻利と一緒にいていじめられるのは嫌だ、と言われてしまう出来事が描かれるのだが、ここでも麻利を攻撃してくる同級生たちの姿と「世界」という言葉が重ねられている。一連の様子を目撃する主人公太輔は次のように感じる。

朱音ちゃんの向こう側には泉ちゃんがいて、その向こう側にはひゅうひゅうと囃《はや》し立ててくる男子のグループがいて、その向こう側には（…）たくさんの子とその保護者がいて、その向こう側でやっと、どこの世界でも同じように日が暮れている。
自分たちは、これからも、きっと、たくさんのものを越えていかなければいけない。
（『世界地図の下書き』文庫版、334～335頁）

太輔の心の中で語られるのは、彼らにとって、自分たちが生きていく「世界」は、麻利をいじめる「泉ちゃん」や「男子のグループ」といった「背の高い」者たちが立ちはだかる空間であり、自分たちはそのような「世界」のあり方を踏まえて生きていかねばならない、という覚悟のような感覚である。

このように『桐島』や『世界地図の下書き』では、学校という狭い空間での決まり事や人間関係が「世界」として描かれるのだが、他の作品では、学校より広い、社会や世間の中で人々を縛る制度や常識のようなものが「世界」として描かれることがある。例えば『何者』では、作中で「就活」という制度や、SNSといったものが主人公拓人や彼の同級生たちを取り囲む、ある種の環境として機能している。拓人や同級生たちは、時折、そうした自分たちが知らず知らずのうちに置かれてしまった状況について違和感や小さな疑問を吐露していく。第2期の作品では他に『武道館』で、主人公の愛子が抱く「好き」という感情と、アイドルを取り巻く世間のルール感覚がぶつかる様子が描かれる。

「世界」に関連する描写でこれ以外のパターンとしては、例えば『ままならないから私とあなた』や『スター』といった作品で描かれる、時と共にすべての価値観が変化していく、という時代の波、新旧交代のような感覚も挙げられると思う。両作品では、登場人物たちが、そうした時代の変化に対して、自分が持つ「好き」という感情やこだわりといった感覚を足場に違和感を口にする姿が描かれている。

また、例えば『何様』や『正欲』では、世の中で喧伝《けんでん》される「正しさ」や多様性礼賛の風潮といったものが主人公の違和感の対象として提起されている。

いずれにしても、朝井作品で描かれる「世界」は、主人公たちを取り囲む環境、もしくは、人をその内部に巻き込んでしまう大きな流れのようなものとして描かれ、主人公たちは、その内部で生活しながら自分の「好き」と「世界」とがぶつかり、違和感を持つ姿が描かれるのである。

向こうから迫ってくる「世界」

この「世界」について、ひとつ独特だと思うのは、それが時に洪水のように向こうから押し寄せるもの、主人公らにとって避けられないものとして描かれていることだった。

この側面がはっきりと見られるのは、最新作の『正欲』だ。この作品では世間で喧伝されている多様性礼賛の風潮や、マジョリティが少数派に押しつける「正しさ」といったものが人々を取り囲む「世界」として描かれているのだが、主要人物のひとりである夏月《なつき》がそうした「正しさ」を〝生きているだけでこちらに迫ってくるもの〟と捉えていることが印象に残った。先に『正欲』については、対物性愛という性的嗜好の持ち主たちが登場すると書いたが、夏月もそうした嗜好の持ち主であり、自分と同じ対物性愛を持つ高校の同級生・佳道《よしみち》と再会し、彼との会話の中で、マジョリティの価値観に取り囲まれていた、自分たちの高校時代を次のように振り返る。


まるで夕立に降られるように、勝手にその一部に自分が含まれてしまうことが沢山ある。

行かなければならない修学旅行、（…）勝手に生まれる人間関係。（…）

「私も嫌だったな」

その全てが、鬱陶しかった。


（『正欲』144〜145頁）


夏月は、多数派の「正しさ」がベースにあった学校行事や人間関係を突然の大雨に巻き込まれるような経験として受け取っているのである。

別の場面では、職場のとなりの店舗で働く女性・沙保里《さおり》が押しつけてくるマジョリティ的な考え方やニュースで特集されるLGBTQを扱ったドラマについても、「ただ生きているだけで勝手にこちらに迫ってくるもの」と表現したり、「生きている限り避けられない、迫ってくる世界そのもの」という言葉が出てきたりする。

ぼくがこうした描写に朝井独特の性質があると思ったのは、例えば自分が置かれた環境や社会に違和感を持ったり、権力からの抑圧にさらされたりするマイノリティを描く映画や小説は多くあっても、朝井作品での「世界」のように、マイノリティが受ける圧迫を押し寄せる洪水のように、またその衝撃を受ける主人公たちを極端に受け身な存在として描く作品はあまり見ない気がしたからだ（思いついた例外はカズオ・イシグロの『わたしを離さないで』ぐらいに思えたが、これはまた色合いが異なる気もする）。ぼくは、ここに朝井作品独特の過剰さがあらわれていると感じるのである。

先にもふれたが、朝井は作家の村田沙耶香との対談で、自分は「一に世界、二に自分という順序」があり、「はじめに世界というものがあって、次にその中で生きる自分の存在が見えてくる」と語っている。その上で、「世界の側に自分が擦り合わされる形で主体的な感情が出てくるんだ」と思うと話している。

この対談の言葉は、ここまで見てきた朝井の作品の「世界」の描写にすっぽりあてはまるように思う。『正欲』では、夏月にとって「世界」が勝手に自分を巻き込んでしまう、自分ではどうにもできないものとして認識されており、彼女が「世界」とぶつかる中で出てくる違和感という感情が描かれている。

こうした側面を踏まえると、朝井作品での「世界」とは、主人公が生きる空間で支配的に作用するルールや風潮であると同時に、否が応でも自分を巻き込む、自分自身に先行する、圧倒的な波のようなものとして理解することができる。

世界あっての自分なのだから、ぼくが第1部で書いたように世界から「おりる」とか、その外へ出ていく、また世界に対して抵抗する（闘う）などということは、考えようもないというか、朝井の作品はそのような形では成り立っていないのだろうとも思える。彼の作品で問われているのは、世界を自分に先行するものとして捉えてしまう人が、その世界と自分との間に摩擦を抱えてしまったとき、その人物はどのように生きるのか、ということなんじゃないか、とも思う。

「好き」の側に立つこと

「好き」と「世界」の間に立たされた個人が、その渦中でもしも「好き」の側に立つとしたら、その人物の中では何が起きていると言えるのだろう。

「好き」は、個人が自分の内部に持つ、変えがたい感性のようなもの。「世界」は、自分が生きる空間で支配的に作用するルールや風潮であり、自分に先行していると感じられる存在だった。

さて、ここでようやくこの文章の終点にたどり着くわけだが、ぼくが重要と思うのは、この「好き」と「世界」の対立で朝井作品の主人公たちは、ほぼ必ず「好き」の側に立つことが描かれている、ということだ。

「好き」か「世界」か、という選択を、朝井自身は「選択・行動主義」に見られた理屈で捉えているのかもしれない。つまり、個人が何が正しいか分からない時代、もしくはすべての価値観が変化していくよるべない時代の中で、自分の頭で考えて、自分が正しいと思うものを選び取る物語として。しかし、ぼくには、「好き」か「世界」か、という選択は、もっと深い部分に根差したテーマであると思えた。

朝井作品を読んでいると、この対立について、不確かな時代の中で、自分の頭で考えて何かを選び取れ、というように、人が「自分」というたしかな主体性を持った上で「選ぶ」ことに重きが置かれていると思えるのだが、「好き」か「世界」かの選択は、そのような常識的な物語の型からはみ出るものを含んでいるのではないか。

この選択は、自分の内側に存在する、ゆずれない、変えがたい要素（好き）と、自分より先行している圧倒的な外部の要素（世界）のどちらかひとつを選ばなければならない、という瀬戸際の状況、究極の選択を迫られる場面なのであり、そこでの「選ぶ」主体とは、揺るぎのないたしかな自分を持った人物ではなく、ふたつの要素のはざまで揺れ動く、不安定な状態に置かれていると思える。

そのような状況の中で「好き」を「選ぶ」こととは、人が内側の要素の側に立つことであり、自分の主体性を発揮して何らかの対象を「選ぶ」というよりは、朝井の第3期の作品『どうしても生きてる』の「籤」の主人公みのりの気づきに重なる、むしろ内部の要素の「選びようのなさ」（選ぶ・選ばないじゃないということ）に気がつくことを意味し、これは、自分にとって本当に「選びようがない」のは、自分の外側にある「世界」ではなく、自分の内側にある「好き」という要素だと自覚することなのではないか。このような気づきを得た結果として、その人物は自然と「世界」から身をおろすことになる、もしくは身をおろさざるを得なくなる、ということだと思う。ここには、「自分はこれを選ぶ」と主体的に決意するのではなく、「こればっかりはしょうがないな……」と、これまで拒もうとしてきた自分の内側の要素に対して一種の観念する態度、降伏の姿勢が、つまり「前向きなあきらめ」という姿勢があらわれていると思うのである。

「好き」と「世界」の対立をこのような選択のテーマとして、また、そこでは最終的に「好き」という感情の「選びようのなさ」が描かれていると受け取ってみると、ぼくには、朝井の作品には「おりられなさ」を掘り下げた末にやはり「おりる」ことが描かれているのであり、この先いずれは作品の中で「おりる」ことにもっと正面から向き合わざるを得なくなるのではないか、と思えた。それがどのような形でかは分からないし、また、圧倒的な「世界」の圧力を抱える朝井の作品に「早くおりろ」とか「おりる方が正しい」とあまり押しつけたくもない。しかし、ぼく自身が朝井の作品から受け取った重要な要素を踏まえると、いつか彼の作品にも、世界からおりること、もしくはおりざるを得ないということがいまよりも踏み込んだ形で描かれることの必要性を感じるのである。

おわりに

大学3年の終わりから4年にかけて、まわりの学生のほとんどがスーツを着て、就活をするようになった頃、ぼくは彼らの姿をしらけた気持ちで見つめていた。

それは、先にも書いたように、自分は大学不登校状態で、そもそも単位を取ることすら難しく、就活などある意味で雲の上の行為に思えたということもあるが、それ以上に、違和感だらけだった自分にとっての「大学」が、違和感が解決されることもなく、もうすぐ終わろうとしている、ということが彼らのスーツ姿を通して感じられたからでもあった。

このように当時のぼくは自分のことで一杯一杯だったわけだが、それでも記憶に残っているのは、ぼくから見ても、就活をしている同級生たちの背中には、何かが重くのしかかっており、思わず「こりゃ大変だな……」と感じてしまう瞬間があったということだ。

卒業して間もない頃に刊行された朝井リョウの『何者』を読んだとき、在学中に自分が就活をする同級生たちの背中に垣間見た「何か」が書かれているように思えた。それは、

『何者』の主人公拓人がいつまでも内定を得られない、という窮状に置かれることや、就活のさまざまな要素に対する疑問や不条理感、作中で描かれるSNS上のコミュニケーションの不安定感といったものもそうだったが、そこにはひとくちには表現できない、同世代の人たちの「よるべなさ」のような感覚が描かれていると思えた。

この『何者』や同時期に読んだ『桐島』から受けた朝井の印象は、ぼくのようなタイプの人間があまり気づくことのできない、いわば「多数派」の人々の苦しみや苛立ち、痛みといったものを描くことができる書き手である、ということだった。『何者』は、就活を「する」側を描いた作品だが、ぼくのような「できなかった」側が読んでも、ここには読むべきものがあると思え、朝井は、登場人物たちが抱える困難をより多くの人たちに向け、普遍的な問題として提示することができているとも感じさせた。それでいて、彼の書きっぷりには、一種、独特なガンコさがあり、当時その点に好感を持ったことを覚えている。

このように、朝井のことは、自分とは違った立場から世の人々の抱える問題を的確に描く作家という風に捉えてきたのだが、最近、ぼく自身が「サヴァイヴ」や「おりる」といった考え方について書いたり、その延長で「おりられなさ」という感覚が気になってきたりする中で、彼の作品に本格的にあたってみたいと感じるようになった。

ぼくには、第3章で書いた、競争とは別のステージで生きるという「おりる」思想は、自分と社会とがぶつかることから生じる、非常にガンコな感覚がベースにあると思ってきたのだが、朝井の作品から知ったのは、その「おりる」ことの対極にある「おりられなさ」の方にも、じつはもうひとつの「ガンコさ」がある、ということだった。

「縁を切ることができない」という状態

結局「おりられなさ」とは何だったのだろう。

この文章では、「おりられなさ」について第4章の1と2で見てきたが、じつは、第4章の3でふれた「好き」という要素こそ、こうした内容と大きく重なる部分を持つモチーフだと思う。

朝井の小説では、主人公たちにとって「好き」なものは、社会や周囲の人々から非合理的であるとか、時代遅れなものとか言われて、ある意味で時代の変化から取り残されていく存在として描かれることが多い。しかし、その「好き」は主人公にとって、自分自身非合理的で、時代遅れであると思えても、簡単には縁を切れないものとして描かれる。

ぼくは、人はそうした「好き」という要素の側に立つことで、自分を圧迫してくる「世界」から自然と「おりる」ことができる、と書いたが、「おりる」ことのカギになっているはずの「好き」の中に、縁を切ることができない、という「おりられなさ」の要素が混じっていることには少し不思議な感じがする。

これをもう少し掘り下げてみると、第4章の3で書いたのは、単に「おりる」一辺倒という話ではなく、自分は「好き」からは「おりられない」と気づくことで、「世界」からは「おりる」ことができる、という二段構えの考え方だったのではないか、と思えてくる。「世界」からは「おりる」が、「好き」からは「おりない」と。

ぼくは、朝井が書くものからは、このような、人が簡単には縁を切れない、取捨選択できないものとどう向き合うか、という疑問と、その中で本当に変えられないものは何なのかを問う、非常にガンコなテーマ性があると感じた。

朝井作品のこのような側面は、自分の「好き」なものに沿って生きろ、みたいなごく個人的な精神論ではなく、また、社会の不公正に対して現状の変革を求める人たちへのアンチテーゼとしてでもなく、もう一段広い視野から捉えられる部分があると思う。

例えば、ぼくは、朝井作品で描かれる、「縁を切ることができない」という状態について考えたとき、以前大島隆《たかし》による『芝園団地に住んでいます―住民の半分が外国人になったとき何が起きるか』（明石書店、２０１９年）という本で知った、間文化主義《かんぶんかしゅぎ》という考え方が頭に浮かんだ。

この本は、朝日新聞の記者である大島が、埼玉県川口市にある芝園団地に住み込み、高齢化が進む日本人住民と半数余りの外国人住民の共生の過程を追ったノンフィクションである。

芝園団地は、70年代に建てられた大規模団地で、当時の入居者は若い世帯がほとんどだったが、現在は高齢化が進み、90年代頃から中国人を中心とする外国人住民が増え、団地がある川口市芝園町の人口は２０１５年にはついに日本人住民と外国人住民の割合が逆転したという。この本ではそんな芝園団地を舞台に、社会的には多数派だが、団地の中では少数派となりゆく、ある意味で不安定な状況に置かれた日本人住民が抱く不安や苛立ちの感情に着目し、そうしたものがあらわれてくる背景を掘り下げながら、共生を模索する団地の人々の姿を描いている。

ブシャールの「間文化主義」

この本のこうしたマジョリティの感情に焦点を当てる試みに、ぼくは朝井の作品とつながるものを感じたのだが、本の終盤では大島が、カナダ・ケベックの歴史学者ジェラール・ブシャールが唱える「間文化主義《インターカルチュラリズム》」という考え方を紹介している。

間文化主義とは、英語が主流のカナダにおいてフランス語系文化を持つ地域ケベックで社会の統合理念およびその具体的モデルとして用いられている思想であり、ケベックの中ではマジョリティだが、カナダ全体で見ると歴史的にマイノリティであるフランス系住民と、その他の多様な出自を持つマイノリティの人々の間で、お互いの文化を尊重しながら、積極的に両者が交流を重ね、共通の文化を作ろうとする考え方だという。言ってみれば、差別やステレオタイプ、「同化」を促すような思想を批判しながら、マジョリティの不安にも対処する、という「バランス」を重視する考え方だ。

この間文化主義についてぼくが重要だと思った点は、それまでのマジョリティが持つ文化について「変わるべきもの」と「変えるべきではないもの」の見極めが行われていることだ。

終盤の第六章では、大島がケベックにいるブシャールに直接話を聞きに行く場面があるのだが、そこでブシャールは、「『多数派の不安』にどう対処したらいいのか」を問う大島に、そうした不安を抱く人々に対して「本質的なものは何か」を問うことが重要であると答えている。

「(…)本質的なものは何かを問うことです。我々が決して妥協できない、本質的な要素です。それは私たちが歴史の中で築いてきた価値であり、我々の核となるものです。それは移民にとって、社会に入るのに必要なチケットとなるのです。もちろんその価値は、過去のドイツのような『我々は優れた人種である』といったものであるべきではありません」

(『芝園団地に住んでいます』196頁)

ここでブシャールが言う「本質的な要素」とは、多数派が少数派に「同化」を強制するときに持ち出す概念としての「本質」ではなく、むしろどちらの立場にあっても、その国で生きる人々の未来の助けになると考えられる要素のことである。ケベックでいえばそれは、フランス語や民主主義、自由、社会的平等といったものだという。

ぼくは、朝井作品の「好き」と「世界」の対立のテーマには、広い視点で捉えれば、この本で言われていることと重なる、自分自身にとって「決して妥協できない」中核的な要素とは何なのかを見極める姿勢があると感じる。

朝井の描く人々も単に多数派なのではなく、じつは独特な「もろさ」や自信のなさ、諦観を抱えた不安定な状況にいる人々として描かれている。そうした人々が何もかもが変化していくように見える時代の中で、自分にとって変えようのないものは何なのかを手探りで模索しているように見えるのである。

朝井の作品では、最初は主人公たちにとって「好き」の他に、「夢」や「世界」など、縁が切れない、変えられないと感じるものが複数あらわれているが、主人公たちは多くの場合、逡巡《しゅんじゅん》の末に、自分にとって本当に「おりられない」のは、「好き」という要素だけであることに気がつく。

体育座りの自分

ぼくは、こうした変えようのないものを見極める、という朝井作品の姿勢は、「変える」とか「おりる」とかいったことが重要になってくる中で、いわばその一歩手前で考えるべき要素が含まれていると感じる。

変えられない、「おりられない」ものを見極めることは、例えば『何者』の拓人が「カッコ悪い自分」から出発することにしたように、人が何を出発点にして生きていけばいいのかを教えてくれる部分があるだろう。

また逆にそれは、自分は何からは「おりる」ことができるのか、理解するきっかけにもなる。「おりる」ことなど不可能だと人々に思わせている、さまざまな風潮や権力のハッタリを見抜く助けになるということだ。

一方で、世の中には、変える、「おりる」ことは可能かもしれないが、そうするためには相応の工夫が必要となるような、さまざまな「変えづらい」社会的な問題がある。その際に、では何をすればそれが変えられるのか、自分たちはそこから「おりる」ことが可能となるのか、を考えていくための役にも立つだろう。

ぼくは、このように広く捉えた場合の「おりられなさ」への着目には、人が何かから「おりよう」としたり、「変えよう」としたりするときに必要となる、さまざまなヒントが含まれていると感じるのである。

大学を卒業して10年ほどが経ったが、その間の日々は、ぼくにとって「おりる」に次ぐ「おりる」というような年月だった。今回の文章は、そんな自分の中で例外的に、はしっこで体育座りの姿勢で、頑として動こうとしない「おりない自分」が熱心に読んでいた朝井の小説に目をつけ、ぼく自身も久しぶりに『桐島』や『何者』を手に取り、ここまでいろいろ考えてきたという感じがする。

「おりない自分」には、その頑なさに辟易させられる部分もあるが、彼がいなければ、これからもぼくは安全に「おりる」ことはできないだろう、とも思った。

あとがき

「おりる」思想を求めて、ここまでデコボコした文章の山道を読者のみなさんと歩いてきた。そこで見えた景色はどんなものだっただろう。何か心に残るものはあったか、もしくは霧が立ち込めていてよく見えなかっただろうか。

この本は、ウェブサイトの集英社新書プラス（以下、プラス）での連載（「はしっこ世界論『無職』の窓から世界を見る」）がもとになっている。プラスに掲載された第1〜3回までの文章が、それぞれこの本の第1部第1〜3章までを構成している。第2部の朝井リョウ論は、プラスの連載用に書いたものだったが、掲載される前に書籍に含まれる形になった。

本書では人々の前に戻ってくるクマたち、生き残ることができなかった若者たちの表情や言葉、社会的な「死」を経験した人々の「その後」の行方、「好き」からは離れられないという自覚、などの要素に目を向けてきた。どれもバラバラの題材から浮かんできたモチーフだが、そこには何か共通したものがあった。

この連載の書籍化担当編集者の東田健さんは、「おりる」というタイトルがつけられているが、自分はむしろ「おりられなさ」の方に内容的な近さを感じたと言っていた。たしかにこの本で書いてきたことは、人が人生を歩む中でどうしようもなくぶつかってしまう、その人自身の中に存在する、ある種の要素のことだったのだ、といまは思う。

そういうものからは簡単には身を離すことはできない、おりられない。しかし同時に人はそれにぶつかるからこそ、自分が生きる空間や社会の理不尽さからは「おりる」しかなくなるのではないだろうか。

そもそもなぜこういう文章を書くことになったかというと、2017年に新書編集部の渡辺千弘さんが、ぼくが以前加藤典洋さんの出していた小冊子(「ハシからハシへ」)に寄稿した映画論を読み、声をかけてくれたことがきっかけだった。スペインへ渡航する直前の時期で、それまで一般の活字媒体で文章を書いたことがなく、文筆業はほぼあきらめかけていた。執筆も、塾講師の仕事も、東京での人付き合いも、何もかもほっぽらかして大陸の反対側へ行ってしまおう、と決めていたのだが、そうやって一度自分の手から文章を放ってみたときに渡辺さんから声がかかったのは、不思議なことだった。

渡辺さんからは、まずはスペイン滞在中に考えたことでも書いてほしい、と提案を受け、結果として「スペインへ逃げてきたぼくのはしっこ世界論」というタイトルで全6回の文章を書くことになった。この本には収録されていないが、スペイン滞在中のこの「はしっこ世界論」がその後の連載「『無職』の窓から世界を見る」の前身になった。

2019年、1年間の滞在を経てスペインから日本に帰国したとき、渡辺さんから、連載枠を維持して何か別のものを書かないかと言われた。今度は本や映画についての批評を書いてみたいと思ったが、といって批評家然とした、かたい内容の文章はしっくりこないので、「はじめに」で述べたように「なんでもない」自分という視点から本や映画、社会について考える内容で書いてみようと思うようになった。こうして2020年、この本に収録されている連載「『無職』の窓から世界を見る」が始まった。

連載期間は2020年からのコロナ禍とほぼ重なり、さまざまな苦労があった。日々の生活が家にこもりきりになり、ひたすら文章を考え、書くという状態だった。コロナ禍は、人によって、また住む地域や国によって経験したことも異なると思うが、さまざまな情報が錯綜《さくそう》し、同時に生活苦や困窮が社会に広がる中で、以前にも増して人が差別的な言説や陰謀論に巻き込まれていく風潮が生まれてきていると感じられた。そうした状況だからこそ「おりる」思想にあらわれているような考え方がより重要になるのではないかと思えた。ともかく、この本はぼくにとって、書きたいことを興味の赴くままにとことん書かせてもらったという思い入れを持っていると同時に、コロナ禍という辛く苦しい期間と渾然一体となり、そうした状況からものを考えさせられた一冊でもある。

また、自分ひとりでは到底歩いてこられなかった道のりを、多くの人の助けや支えを得ながら、なんとか進んでこられた、この本についてはそういう多くの人たちと共に歩んだ旅の記録、というような印象も持っている。

そんなわけでこの本の端々には、冷静な批評とは違う、コロナ禍で煮詰まった著者の頭の中の痕跡が、もしかするとところどころに見て取れるかもしれない。そんなデコボコした歩きづらい山道を一緒に歩もうとしてくださった読者の方々には、頼りない案内人として最後に感謝を申し上げたい。

本を締めくくる前にいく人かの人たちにお礼を申し上げたい。

加藤典洋さんと渡辺千弘さんを抜きには、ぼくはこうした文章を書き、発表することもできなかった。加藤さんは、大学4年のときに出会い、書くことについて指導していただいた。就活もせず、大学院も行かず、悶々《もんもん》と過ごしていたぼくが書く文章を読んでは励ましてくださった。加藤さんに読んでもらいたい、という気持ちが執筆を続けるのに欠かせないものになった。深く感謝したい。

渡辺さんは最初のスペイン滞在記からいまに至るまで、熱心に相談に乗ってくれ、つかずはなれずの距離感で文章を見守ってくれることが安心感につながった。メールでの感想はいつも心がこもっており、いつの間にか加藤さんのときと同じく、渡辺さんに読んでもらいたい、ということが自分にとって支えになっていた。

渡辺さんの異動後にこの本の担当をしてくれた集英社新書編集部の東田健さん、同編集部の西潟龍彦さん、編集者の金関ふき子さん、以上集英社の方々に感謝を申し上げる。

また、本のイラストを描いてくださった田渕正敏さん、本のゲラを読み励ましをくれた今野書店の花本武さん、ときわ書房志津ステーションビル店の日野剛広さん。連載時に文章を読んでくださった伊藤書佳《ふみか》さん、勝山実さん、伊藤洋志さんにもお礼を申し上げたい。

最後に、この本で書いたことが、人が自分のやりたいことや生活のペースをおさえつけずに無理なく生きていくことができる、そんな社会が実現されるための、ほんの少しでも助力になればと願っている。

引用文献（登場順）

はじめに

ヤシャ・モンク、ロベルト・ステファン・フォア著、玉川透編著『強権に「いいね！」を押す若者たち』濵田江里子訳、青灯社、２０２０年
伊藤昌亮「ひろゆき論」（『世界』２０２３年３月号、岩波書店）
加藤典洋『僕が批評家になったわけ』岩波現代文庫、２０２０年（初刊は岩波書店、２００５年）

第１部第１章

大塚英志『人身御供論―通過儀礼としての殺人』角川文庫、２００２年（初刊は新曜社、１９９４年）

第１部第２章

雨宮処凛『生きさせろ！―難民化する若者たち』ちくま文庫、２０１０年（初刊は太田出版、２００７年）
高見広春『バトル・ロワイアル』幻冬舎文庫、２００２年（初刊は太田出版、１９９９年）
深作欣二、山根貞男『映画監督　深作欣二』ワイズ出版、２００３年
宇野常寛『ゼロ年代の想像力』ハヤカワ文庫、２０１１年（初刊は早川書房、２００８年）

第1部第3章

勝山実『安心ひきこもりライフ』太田出版、2011年
道草晴子『みちくさ日記』リイド社、2015年
豊島ミホ『大きらいなやつがいる君のためのリベンジマニュアル』岩波ジュニア新書、2015年
伊藤洋志『ナリワイをつくる―人生を盗まれない働き方』ちくま文庫、2017年（初刊は東京書籍、2012年）
坂口恭平『現実脱出論』講談社現代新書、2014年
青木省三『時代が締め出すこころ―精神科外来から見えること』岩波書店、2011年

第2部第4章

朝井リョウ『桐島、部活やめるってよ』集英社文庫、2012年（初刊は集英社、2010年）
吉田大八「解説」（『桐島、部活やめるってよ』集英社文庫所収）
朝井リョウ『死にがいを求めて生きているの』中央公論新社、2019年
朝井リョウ『どうしても生きてる』幻冬舎、2019年
朝井リョウ『スター』朝日新聞出版、2020年
朝井リョウ『何者』新潮文庫、2015年（初刊は新潮社、2012年）
朝井リョウ『世にも奇妙な君物語』講談社文庫、2018年（初刊は講談社、2015年）
朝井リョウ『スペードの3』講談社文庫、2017年（初刊は講談社、2014年）